STOP AU CHOLESTÉROL !

M. ZUGNONI

STOP AU CHOLESTÉROL!

Principes diététiques, menus types, conseils

De Vecchi

Dans la même collection

Plus une goutte !, Dr Franco Riboldi, 2011
La cigarette, j'arrête !, Dr Franco Riboldi, 2011
Stop à la fatigue !, Dr Jean-Paul Ehrhardt, 2011
Stop au diabète !, Dr Madeleine Fiévet-Izard, 2011

Traduction de Marie-Christine Bonnefond
et adaptation de Marie-Françoise Arden

Conception et réalisation : © Isabelle Lebard

L'Atlantic
5, allée de la 2e DB
75015 Paris

AVANT-PROPOS

Comment faire baisser le taux de cholestérol sanguin?

Certains rêvent de la pilule efficace, sans aucun effet secondaire. La réalité est toute différente...

Le cholestérol est présenté dans les prises de sang sous deux formes:
• le LDL cholestérol («mauvais cholestérol»), qui se dépose sur la paroi des artères;
• le HDL («bon cholestérol»), qui a un effet protecteur.

Le LDL cholestérol est un facteur de risque de la maladie cardio-vasculaire, de même que l'hypertension artérielle, l'excès de poids, le manque d'activité physique, le facteur héréditaire.

Ces facteurs contribuent à rétrécir le calibre des artères, diminuant ainsi l'irrigation des organes «nobles» (cœur, cerveau, yeux, oreilles, reins, etc.).

En ce qui concerne le cholestérol, la première mesure est d'adopter une alimentation équilibrée avant d'arriver au stade de prendre des médicaments.

Parfois le régime seul suffit.

Même lorsque l'on est amené à prendre des médicaments, ce régime doit être poursuivi.

Il faut signaler par ailleurs les effets indésirables des médicaments anti-cholestérol pris au long cours.

Cet ouvrage, grâce à des conseils pratiques et des recettes faciles à exécuter, permet de rectifier les erreurs diététiques que l'on fait sans en avoir conscience.

L'auteur répond à diverses questions que le lecteur peut se poser :

Quels sont les aliments qui font diminuer le « mauvais cholestérol » et remonter le « bon » ?

Combien de temps de régime faut-il pour constater une amélioration de la prise de sang ?

Est-ce que certaines vitamines peuvent être utiles ?

Quels produits choisir sur les rayons des supermarchés ?

Comment équilibrer le régime quand on travaille ?

Lorsque le dosage du cholestérol s'est normalisé, est-ce que l'on peut remanger « comme avant » ?

Pourquoi le taux de cholestérol ne baisse-t-il pas alors que le régime semble être bien suivi ?

L'auteur insiste sur le côté « agréable au goût » des recettes, ce qui rend le régime plus facile à suivre.

Enfin, il est important de noter que la baisse du taux de cholestérol entraîne une diminution des maladies cardio-vasculaires et un allongement de la durée de vie.

Docteur Jean-Claude Nataf

OBJECTIF CHOLESTÉROL

Qu'est-ce que le cholestérol ?

Le cholestérol est une substance grasse dont la consistance est proche de la cire. On le trouve dans tous les organismes animaux, y compris chez l'homme, et dans tous les aliments d'origine animale (les viandes, le lait, les produits laitiers, les œufs...). Par contre, les végétaux n'en contiennent pas. Le cholestérol joue un rôle indispensable chez l'homme, car il entre dans la composition des membranes cellulaires d'organes très importants tels que le cerveau et les glandes surrénales, et d'appareils tels que le système nerveux.

La majeure partie du cholestérol présent dans notre corps est sécrétée par notre organisme, en particulier par le foie : le cholestérol endogène. L'autre partie est introduite dans l'organisme par l'alimentation : le cholestérol exogène.

Le cholestérol fabriqué par notre corps est régulé par un mécanisme très sensible : plus on absorbe d'aliments contenant du cholestérol, moins nous en produisons. Donc, grâce à ce système, en situation normale, le taux de cholestérol demeure constant.

Le cholestérol auquel nous pensons est le cholestérol normalement présent dans le sang en même temps que d'autres graisses, sucres, protéines et sels minéraux. La quantité de cholestérol dans le sang est appelée *cholestérolémie*.

Une sonnette d'alarme : l'hypercholestérolémie

Lorsque la cholestérolémie dépasse des valeurs considérées comme normales, on parle d'*hypercholestérolémie.* C'est alors un signal d'alarme pour notre santé, et en particulier pour le cœur et pour les artères.

L'hypercholestérolémie se classe parmi les principaux facteurs de maladies cardio-vasculaires et artérioscléreuses, devenues ces dernières années les plus fréquentes causes de mortalité et d'incapacité de travail.

Des études récentes ont permis de confirmer qu'excès de cholestérol dans le sang et maladies cardio-vasculaires étaient liés. On a remarqué que les personnes qui ont un taux de cholestérol élevé sont plus fréquemment atteintes par des pathologies cardiaques que celles dont le taux est faible. D'après les résultats des études de prévention des maladies coronariennes effectuées dans les services médicaux de recherche sur les lipides dans le monde, on a en effet démontré qu'en abaissant de 1 % le taux de cholestérol dans le sang, le risque de troubles cardio-vasculaires diminuait de 2 %. Il est important de signaler que l'hypercholestérolémie n'est pas en soi une maladie, mais est un déclencheur de certaines maladies.

Effectivement elle favorise les dépôts de cholestérol dans les artères, c'est la formation de ce que l'on appelle la « plaque artérioscléreuse ».

Cette plaque compromet le flux normal du sang vers le cœur, ce qui provoque des troubles cardio-vasculaires. C'est pourquoi la surveillance de la cholestérolémie est un des points principaux de la prévention primaire des maladies cardio-vasculaires.

L'hypercholestérolémie s'installe dans la plupart des cas sans aucun symptôme, au point qu'on ne la découvre que lorsque le mal est déjà bien avancé, d'où son surnom de «tueur silencieux» donné par les Américains.

C'est pourquoi il est indispensable de mesurer périodiquement la cholestérolémie[1]. Cette mesure est nécessaire chez l'homme (plus exposé que la femme) vers la trentaine, et chez la femme au moment de la ménopause ou avant si elle prend la pilule. La présence de facteurs de risque (accidents cardio-vasculaires familiaux précoces, tabac, hypertension artérielle, obésité, diabète) nécessite une surveillance du taux de cholestérol, aussi bien pour l'homme que pour la femme.

Comment mesure-t-on la cholestérolémie ?

On détermine le taux de cholestérol grâce à un prélèvement sanguin normal, effectué de préférence lorsque l'on est à jeun depuis au moins douze heures. On peut maintenant faire des contrôles improvisés de la cholestérolémie grâce à des appareils permettant de lire les résultats en quelques minutes. (Quelques gouttes de sang sont prélevées au bout d'un doigt.)

On indique généralement la cholestérolémie en milligrammes de cholestérol contenu dans 100 millilitres (1 dl) de sang : mg/100 ml.

1. En France, le Comité français de coordination des recherches sur l'artériosclérose et le cholestérol (ARCOL). conseille un dosage systématique dès l'âge de 20 ans, renouvelé tous les cinq ans si le résultat est normal, et avant 20 ans, si le sujet appartient à une famille à risque.

Quelles sont les valeurs normales ?

Le taux de cholestérol normal varie selon l'âge. Selon les données des dernières conférences de consensus sur le cholestérol en France, la valeur maximale normale est de 2 g/l ; pour les personnes de moins de 20 ans la valeur maximale normale est de 1,8 g/l.

Ceci signifie qu'au-dessous de ces taux maximums le risque d'être frappé par une maladie touchant le cœur et les artères est assez bas. Cependant, attention ! Ce sont là des taux maximums : il est recommandé de maintenir le taux de cholestérol le plus bas possible.

Il est difficile de dire à quel stade l'hypercholestérolémie constitue un danger, parce que les facteurs de risques sont nombreux. Outre l'excès de cholestérol, il faut encore ajouter à la liste les facteurs génétiques, l'excès de poids, le tabagisme, le diabète et l'hypertension artérielle, le stress, l'absence d'activités physiques.

Ceux qui sont bien au-dessus de leur poids idéal, les fumeurs invétérés, les sédentaires et ceux qui ont des antécédents familiaux de troubles cardio-vasculaires, devront effectuer un suivi plus régulier de leur taux de cholestérol.

Le bon et le mauvais cholestérol : fantaisie ou réalité ?

Il n'est pas rare d'entendre parler de bon cholestérol ou de mauvais cholestérol. En effet, bien que cette terminologie soit plutôt peu précise, cela correspond effectivement à une réalité scientifique.

Le cholestérol, tout comme les autres graisses présentes dans l'organisme, ne peut pas circuler librement dans le sang, il doit être transporté par des substances particulières d'origine protéique. Il est donc lié à des protéines et voyage dans des molécules complexes appelées lipoprotéines. Elles sont divisées en deux classes, selon leur densité : les légères et les lourdes.

Les deux types de cholestérol qui nous intéressent sont le cholestérol LDL (*low density lipoprotein*) et le cholestérol HDL (*high density lipoprotein*). Tandis que le premier se dépose sur les parois des artères, le second quitte les artères et poursuit son chemin jusqu'au foie où il est en grande partie éliminé. Le cholestérol LDL, le mauvais cholestérol, est néfaste pour la santé du cœur et des artères ; il accroît le facteur de risques d'une maladie cardio-vasculaire ; le cholestérol HDL, le bon cholestérol, possède au contraire un pouvoir protecteur, s'il figure en quantités élevées, et contribue à faire diminuer le risque cardio-vasculaire.

Encore une fois, un poids situé dans les normes, une activité physique régulière, une alimentation correcte et équilibrée en graisses sont souhaitables, car ils permettent la concentration de cholestérol HDL, le bon cholestérol.

D'après de récentes observations, ce sont la concentration de cholestérol LDL, la présence simultanée d'autres facteurs de risques et du taux de cholestérol HDL – même si aujourd'hui on prend en compte le taux de cholestérol total – qui déterminent la gravité de l'hypercholestérolémie et dictent les soins adéquats. L'examen de sang que nous prescrit le médecin est généralement complété par d'autres investigations concernant le VLDL (*very low density lipoprotein*) et les triglycérides. Les VLDL sont les signes précurseurs des LDL. Un accroissement de leur taux signifie automatiquement une production plus importante de LDL. Les triglycérides sont au contraire des graisses très différentes du cholestérol qui constituent le patrimoine lipidique du sang.

Il existe également pour les triglycérides des taux normaux qu'il faudrait ne pas dépasser (maximum 1,5 g/l) ; mais ces taux peuvent subir des hausses indépendamment du cholestérol, ou encore on peut noter une hausse simultanée du cholestérol et des triglycérides. Étant donné que l'augmentation du taux de triglycérides est généralement due à une absorption excessive de sucres simples (sucre, boissons sucrées, alcools, alcools forts, gâteaux...) et de graisses, un régime sérieux permettra de rétablir facilement la situation et d'améliorer la cholestérolémie. Une cholestérolémie basse, donc des concentrations très peu élevées de VLDL et de LDL, un taux de triglycérides normal et une quantité raisonnable de HDL, constitue un cadre lipidique souhaitable pour l'organisme à tout âge.

QUAND AUGMENTE-T-IL ET POURQUOI?

Les facteurs qui influencent la cholestérolémie

La cholestérolémie dans le sang peut varier selon de nombreux facteurs : il y a les hausses physiologiques (par exemple, pour la femme, pendant la période de grossesse) normales et communes à tous, et les hausses provoquées par des erreurs dans la façon de s'alimenter ou par de mauvaises habitudes de vie ou encore par des affections dysmétaboliques ; ces causes sont, au contraire, subjectives. Le cholestérol fait partie intégrante du corps dès la naissance, mais son taux, qui est initialement d'environ 60-80 mg/100 cm^3 de sang, augmente au fur et à mesure de la croissance, et se stabilise autour de valeurs qui peuvent être influencées par des causes extérieures.

Le sexe a également une influence sur la cholestérolémie : on a remarqué que les femmes sont avantagées pendant leur vie génitale et reproductrice. Leur cholestérolémie est inférieure à celle des hommes. Elles ont aussi des pourcentages élevés de cholestérol HDL (celui qui n'est pas athérogène). Les femmes sont donc de cette manière protégées des maladies cardio-vasculaires jusqu'à la ménopause, lorsque cette « immunité naturelle » devient moins active. Enfin, il faut savoir que la cholestérolémie tend à s'accroître lorsque :

- l'alimentation est trop riche en graisses, en particulier en graisses saturées et en cholestérol (que l'on trouve les unes et l'autre dans des aliments d'origine animale) ;
- l'on souffre d'un excès pondéral ;
- l'on mène une vie sédentaire ;
- l'on est en situation de stress psychique ou physique (et que l'on consomme beaucoup de thé ou de café).

Un pourcentage élevé des cas d'hypercholestérolémie est en effet imputable à ce type de situations. On a remarqué que de bonnes habitudes alimentaires revêtent une importance fondamentale, quelle que soit la cause de la hausse du taux de cholestérol, et même dans les cas particulièrement graves, lorsqu'il est alors nécessaire d'avoir recours à des médicaments.

Hypercholestérolémies génétiques

Il existe des formes d'hypercholestérolémie génétiques, provoquées par des dysfonctionnements génétiques du métabolisme. Ces hypercholestérolémies sont donc héréditaires. Il est indispensable de traiter ces cas au moyen de médicaments sans pour autant mettre de côté la diététique, qui a un rôle actif à jouer dans la thérapie.

ALIMENTATION: POINT D'ORGUE DE LA THÉRAPIE ANTI-CHOLESTÉROL

Dis-moi ce que tu manges, je te dirai qui tu es

Cette phrase que tout le monde connaît contient l'un des concepts les plus parlants de la nutrition : notre organisme ne peut croître et vivre que grâce à un apport constant et adéquat de substances nutritives contenues dans les aliments que nous mangeons.

En effet, se nourrir ne signifie pas seulement absorber des aliments pour accumuler de l'énergie, mais cela signifie également utiliser les principes nutritifs qu'ils contiennent, en les transformant et en les assimilant pour satisfaire les besoins de notre organisme.

Les principes nutritifs se calquent sur les substances qui composent notre corps : protéines, graisses, sucres, vitamines, sels minéraux et eau. Il paraît alors évident qu'alimentation et santé sont étroitement liées : une alimentation saine et équilibrée préserve la santé, c'est-à-dire le bien-être physique et psychique.

C'est justement pour cette raison que l'information ou mieux l'éducation en matière d'alimentation ont acquis une importance de plus en plus remarquable dans notre société.

Ceux qui connaissent bien ce qu'il faut manger pour être en forme peuvent faire des choix sans commettre les erreurs qui peuvent provoquer différents troubles et même de véritables pathologies, chez les personnes prédisposées à ces troubles.

Il est intéressant à ce propos de signaler que notre façon de nous alimenter s'est beaucoup modifiée ces cinquante dernières années.

L'industrialisation, la plus grande disponibilité économique que cela a entraîné et la diffusion intensive par les médias de croyances et de mythes sur l'alimentation, nous ont conduit à commettre des erreurs, tant sur le plan de la qualité que sur le plan de la quantité. Elles se sont ensuite traduites par ce que l'on appelle aujourd'hui les « maladies de la civilisation » : l'obésité, le diabète, les maladies cardio-vasculaires, les hypercholestérolémies et les hyperlipidémies en général.

Depuis quelque temps déjà, les nutritionnistes répètent qu'il faut retourner au modèle alimentaire des années 1950, lorsque l'on consommait des aliments apparemment plus pauvres mais qui, en fait, étaient beaucoup plus riches en substances nutritives indispensables.

Au lieu de manger de façon rationnelle et physiologique dans le but de préserver sa santé, on considère en général l'acte de se nourrir comme quelque chose d'instinctif, lié au seul plaisir personnel ou se référant à des modèles qui traduisent un certain statut social ou psychologique.

C'est ainsi que la plupart du temps on absorbe des aliments dont la valeur nutritive en minéraux, en vitamines, en éléments indispensables à notre organisme est insuffisante pour ne pas dire nulle (les sodas, les bonbons, les alcools, etc.).

Tout cela nous a amenés à modifier notre manière de nous alimenter, par l'absorption, notamment, d'un nombre de calories trop élevé que nous n'éliminons pas, puisque nous avons un style de vie sédentaire. Ces calories en excédent sont donc stockées. Nous dirigeons notre choix vers des produits d'origine animale trop riches en graisses et vers des aliments raffinés pauvres en fibres et riches en sucres simples. Les excès, tant en ce qui concerne la qualité que la quantité, sont malheureusement responsables non seulement de la prise de poids, mais également, pour certains, de l'élévation du taux de cholestérol dans le sang avec toutes les conséquences que cela entraîne.

Éviter ces erreurs ne signifie pas forcément se priver des plaisirs d'une bonne table, mais au contraire cela signifie connaître et respecter des normes élémentaires qui contribuent à une bonne santé.

C'est dans la liste de choses simples dont se nourrissaient nos ancêtres telles que le pain, les pâtes, le riz, les légumes verts, l'huile, le poisson, un bon verre de vin à table, des modes de cuisson utilisant peu de matières grasses et peu de condiments, que les nutritionnistes du monde entier nous proposent de choisir.

Notamment un célèbre nutritionniste américain : Ancel Keys constata, dans les années 1950-1960, au cours d'un séjour passé dans le sud de l'Italie, que les gens habitant cette région étaient beaucoup moins touchés par les maladies de la civilisation (infarctus, thrombose, artériosclérose, dyslipidémie...) par rapport aux Américains, plus aisés financièrement. Le professeur Keys découvrit les habitudes alimentaires de ces régions et les étudia. Il appela « régime méditerranéen » ce régime idéal pour préserver l'organisme de ce type de maladies.

La plus grande qualité de ce type d'alimentation réside dans l'absorption de peu de graisses animales (riches en graisses saturées et cholestérol), dans la richesse des huiles végétales (graisses insaturées et poly-insaturées, non athérogènes), dans l'abondance de légumes, de céréales et de fruits. Les aliments d'origine animale tels que la viande, le lait, les produits laitiers, le beurre, ne sont pas complètement exclus du régime. Ils sont prévus au menu de façon raisonnable et non prédominante. Le « régime méditerranéen » est un régime particulièrement équilibré du point de vue énergétique parce que la plupart des calories est fournie par les céréales et par l'huile d'olive ; il est aussi équilibré en ce qui concerne la qualité parce que l'association des protéines fournies par les céréales et les légumes secs est complémentaire. De plus, les légumes verts et les fruits contribuent à un apport suffisant de fibres alimentaires.

Il est ainsi plus facile d'apaiser la sensation de faim sans absorber trop de calories et de se nourrir avec des produits de bonne qualité.

Un programme d'études de plusieurs années a permis d'évaluer et de vérifier scientifiquement la valeur de ce modèle, et de le distinguer de toutes ces modes alimentaires qui apparaissent si facilement de nos jours.

Les aliments

Pour choisir les aliments les plus indiqués dans une alimentation anti-cholestérol, il est intéressant de découvrir ce qu'ils cachent, c'est-à-dire leurs principes nutritifs, et dans quelle mesure ces principes peuvent jouer un rôle dans la cholestérolémie.

Connaître les principes nutritifs aidera à être encore plus motivé pour modifier notre alimentation. En fait, une simple énumération des aliments permis et des aliments défendus ne permettrait pas de comprendre pourquoi certains sont autorisés et d'autres non.

Les graisses, les protéines, les sucres, les fibres, les vitamines et les sels minéraux sont les substances nutritives constitutives, dans des proportions différentes, des aliments. Nous allons les étudier.

Les **graisses**, indispensables à l'organisme, se trouvent dans les aliments d'origine animale ou végétale, mais leur structure chimique et leurs caractéristiques sont très différentes selon qu'il s'agit de graisses animales ou végétales. Les graisses animales, solides à température ambiante, sont riches en acides gras saturés et sont considérées comme dangereuses pour la santé. Les graisses végétales, liquides à température ambiante, sont riches en acides gras mono-insaturés et poly-insaturés et sont un facteur de protection de l'organisme.

Où trouvons-nous ces substances ? Le tableau ci-dessous décrit les trois types d'acides gras et les graisses dans lesquelles on les trouve.

Type de graisses	Aliments dans lesquels on les trouve et teneur en ce type d'acides gras (en %)
ACIDES GRAS SATURÉS	beurre 65 %, lard 32 %, saindoux 45 %, huile de coco 90 %, huile de palme 20 ou 50 % selon l'origine, huile de palmiste 70 %
ACIDES GRAS MONO-INSATURÉS	huile d'olive 70 %, huile d'arachide 40 ou 60 % selon l'origine, huile de colza 60 %
ACIDES GRAS POLY-INSATURÉS	huile de maïs 60 %, huile de tournesol 65 %, huile de soja 60 %, huile de pépins de raisin 70 %, huile de noix 70 %

Il a été scientifiquement prouvé que la cholestérolémie est très fortement influencée par le type de graisses que nous absorbons : les graisses saturées d'origine animale peuvent faire augmenter le taux de cholestérolémie, alors que les graisses mono-insaturées et poly-insaturées, le plus souvent d'origine végétale, peuvent l'abaisser.

Donc, indépendamment de la quantité de cholestérol que nous ingérons par les aliments, nous devrions réduire l'apport en graisses et faire attention au type de graisses que nous avalons. Il est recommandé d'abaisser la ration de graisses à environ 25-35 % du nombre de calories totales du régime. Cela concerne toutes les graisses en général, mais il faut préférer les graisses mono et poly-insaturées.

Si l'on prend par exemple un régime de 2 000 calories, la quantité maximum de graisses correspond à environ 60 grammes par jour, dont un tiers maximum devra être d'origine animale et deux tiers d'origine végétale.

Lorsque l'on parle de graisses alimentaires, on pense immédiatement aux graisses utilisées en cuisine, ou aux graisses visibles. Mais il existe une quantité considérable de graisses invisibles, bien cachées dans les aliments : mais où ? La charcuterie, le lait et les produits laitiers non écrémés contiennent des matières grasses ; la pâtisserie industrielle, que l'on trouve dans le commerce, contient près de 50 % de calories sous forme de graisses généralement saturées. De même, le chocolat est un produit gras, sans parler des fritures souvent présentes sur nos tables, des sauces et des mayonnaises.

Les **protéines** participent à la régénération et à la conservation des tissus du corps. Elles jouent donc un rôle plastique. Elles entrent également dans la constitution des hormones et des enzymes qui régulent nos fonctions corporelles. Les protéines sont constituées d'unités que l'on appelle « acides aminés » qui, combinés entre eux de façon différente, donnent naissance à un grand nombre de protéines différentes.

Huit de ces acides aminés sont dits essentiels, en ce sens que n'étant pas synthétisés par notre organisme ils doivent y être introduits avec les aliments. Nous avons donc vraiment besoin de ces huit acides aminés. On les trouve tous dans les aliments d'origine animale, mais ils sont présents dans les aliments d'origine végétale de façon incomplète. C'est pour cette raison que l'on appelle les protéines de la viande, du poisson, des œufs, du lait et des produits laitiers, les protéines « nobles » ou à haute valeur biologique.

La présence d'un ou de plusieurs acides aminés dans une protéine en détermine la qualité, mais cela ne signifie absolument pas que les produits animaux sont supérieurs aux produits végétaux: en fait, si l'on combine adroitement certains aliments d'origine végétale on obtient des apports de protéines d'une haute qualité nutritive. Un exemple valable nous est donné par la combinaison des céréales et des légumes secs qui se complètent admirablement.

VALEUR BIOLOGIQUE DES ALIMENTS[2]

Protéines	Valeur biologique	Protéines	Valeur biologique
ŒUF	EE	LÉGUMES SECS	
LAIT DE VACHE	E	+ CÉRÉALES	ME
LAIT MATERNEL	E	SOJA	M
FROMAGES	E	FRUITS OLÉAGINEUX	
VIANDES ET POISSONS	E	+ LÉGUMES SECS	M
LEVURE	E	LÉGUMES SECS	M
CÉRÉALES		FRUITS OLÉAGINEUX	M
+ PROTÉINES		CÉRÉALES	M-f
ANIMALES	E	LÉGUMES VERTS	m

EE = très élevée, E = élevée, ME = moyennement élevée, M = moyenne, f = faible, m = minime.

Les céréales et les légumes secs sont d'une part une source de protéines végétales, et, lorsqu'ils ne sont pas raffinés, fournissent d'autre part une bonne quantité de fibres, de vitamines et de sels minéraux.

2. D'après N. Valeno, *Le Plat vert*, Milan, 1987.

La cholestérolémie n'est pas vraiment influencée par l'ingestion de protéines, mais si le régime alimentaire comprend beaucoup d'aliments d'origine animale, riches en acides gras saturés, le taux de cholestérol tend à augmenter par ce biais.

On peut ne pas prendre à tous les repas un plat de produits d'origine animale au profit d'un plat de céréales et de légumes secs. En ce qui concerne les sucres et les produits sucrés, le problème se pose surtout en termes de calories.

Il existe actuellement une tendance à consommer beaucoup de sucres simples (facilement assimilables par l'intestin) tels que le sucre, le miel, les confitures, les gâteaux, le chocolat, les bonbons ; ces aliments contiennent des calories mais peu de nutriments indispensables à l'organisme.

L'excès de sucres simples provoque aussi une hausse des triglycérides (une autre graisse présente dans le sang) qui, associée à l'hypercholestérolémie, aggrave encore la situation.

Par ailleurs, la consommation des sucres complexes tend à diminuer : ce sont les amidons tels que le pain, les pâtes, les pommes de terre, les céréales et les légumes secs.

Constituées par la structure de soutien des végétaux, les fibres ne sont ni digérées ni absorbées par notre organisme, mais ont un rôle très important.

On peut distinguer deux types principaux de fibres : les fibres solubles dans l'eau et les fibres insolubles, qui agissent de façon différente. Les premières (pectines, gommes et mucilages), que l'on trouve en abondance dans les légumes verts, les légumes secs, les fruits, forment des solutions visqueuses qui ralentissent l'absorption des sucres, des graisses et du cholestérol. Les fibres insolubles (cellulose, hémicellulose et lignine) sont présentes dans les fruits, les légumes verts et secs et les céréales complètes. Elles ont la caractéristique notamment de réguler le transit digestif et de prévenir la constipation.

La quantité de fibres contenues dans les aliments d'origine végétale varie selon les différentes plantes et, dans le cas des céréales, elle varie selon ce qui a été détruit ou non par les processus de mouture et de raffinage.

Accroître la quantité de fruits, de légumes verts, secs et de céréales complètes dans l'alimentation permet d'améliorer à coup sûr la cholestérolémie et a d'autres effets bénéfiques sur la santé. Un régime riche en fibres devrait en comporter environ 30 grammes par jour.

Avec l'aide du tableau des pages 30 et 31, il est facile de connaître, pour chaque aliment, les quantités précises qu'il faut consommer pour couvrir nos besoins.

Une alimentation variée permettra un apport correct de vitamines et de sels minéraux, substances indispensables à un bon fonctionnement de l'organisme (voir les tableaux pages 32, 33, 34).

De nombreuses études ont été faites sur le lien qui existe entre ces substances et la cholestérolémie. Mais il faut encore les poursuivre pour émettre certaines assertions. Et plus particulièrement, ces dernières années de nombreux auteurs ont attribué à la niacine (qui est une vitamine hydrosoluble, appelée aussi vitamine PP) la propriété de faire baisser le taux de cholestérol et de triglycérides tout en augmentant le taux de cholestérol HDL.

Compléter un régime par des quantités élevées de vitamine PP n'est conseillé que dans des cas graves d'hypercholestérolémie et ne doit se faire évidemment que sous surveillance médicale.

QUANTITÉ DE FIBRES ALIMENTAIRES DANS LES ALIMENTS

Aliments	Quantité[3]	Teneur en fibres (en g)	Calories
FARINE TYPE 55	100 g	6,8	320
FARINE TYPE 45	100 g	3,4	343
FARINE COMPLÈTE	100 g	9,6	312
FARINE D'AVOINE	100 g	7	380
BISCOTTES NORMALES	3 = 30 g	1,1	122,7
BISCOTTES COMPLÈTES	3 = 30 g	3,3	109,5
FLOCONS D'AVOINE	1 tasse = 50 g	3,5	186
CORN-FLAKES	1 tasse = 30 g	3,3	110,4
ORGE PERLÉ	1 portion = 30 g	2,7	97,8
PAIN BLANC	1 portion = 50 g	1,4	145
PAIN COMPLET	1 portion = 50 g	2,8	118
PÂTES	100 g	5,3	336
RIZ	100 g	0,6	354
FLAGEOLETS FRAIS	100 g en garniture	10,6	110
FLAGEOLETS EN CONSERVE	100 g en garniture	6,8	43
FÈVES FRAÎCHES	100 g en garniture	5	53
LENTILLES EN CONSERVE	100 g en garniture	5,3	61
PETITS POIS FRAIS	100 g en garniture	5,2	70
PETITS POIS EN CONSERVE	100 g en garniture	9,7	53
POIS CHICHES SECS	30 g en soupe	5,6	89,4
ASPERGES	1 portion = 200 g	3	44
BETTES	1 portion = 200 g	2,4	24
BROCOLI	1 portion = 200 g	7,2	50
ARTICHAUTS	1 portion = 200 g	15,6	34
CAROTTES	1 portion = 200 g	4,8	44
CHOU-FLEUR	1 portion = 200 g	5,4	50

3. Par *quantité*, on entend les quantités d'aliments crus que l'on mange couramment. Dans le cas d'aliments entrant comme ingrédients de base dans des recettes, les informations sont données pour la quantité moyenne de 100 g.

Aliments	Quantité	Teneur en fibres (en g)	Calories
CHOUX DE BRUXELLES	1 portion = 200 g	6,3	46,5
CONCOMBRE	1 portion = 100 g	6,4	14
OIGNON	1 portion = 50 g	0,6	12
HARICOTS VERTS	1 portion = 200 g	5,8	36
FENOUIL	1 portion = 200 g	3,8	32
ENDIVES	1 portion = 50 g	1,1	5
LAITUE	1 portion = 50 g	0,7	7,5
AUBERGINES	1 portion = 200 g	6,4	32
POIVRONS VERTS	1 portion = 100 g	1,2	16
POIVRONS JAUNES	1 portion = 100 g	0,9	22
TOMATES	1 portion = 200 g	2,6	34
RADIS	1 portion = 50 g	0,5	6
CÉLERI	1 portions = 50 g	1,6	1
ÉPINARDS	1 portion = 200 g	4,4	4,6
ABRICOTS	1 portion = 100 g	3,1	46,5
ANANAS	1 portion = 100 g	1,2	46
ORANGE	1 fruit = 200 g	3,8	82
BANANE	1 fruit = 150 g	2,7	120
FRAISES	1 portion = 100 g	2,2	29
FRAMBOISES	1 portion = 100 g	7,4	30
POMME	1 fruit = 200 g	4	90
MELON	1/2 fruit = 400 g	3,6	120
MÛRES	1 portion = 100 g	7,3	26
POIRE	1 fruit = 200 g	5,2	76
PÊCHE	1 fruit = 200 g	2,8	60
PRUNEAUX	2 fruits = 15 g	2,6	26,5
PRUNES	1 portion = 150 g	3,1	52,5
RAISIN	1 portion = 100 g	1,5	54

OÙ TROUVER LES VITAMINES : LES ALIMENTS QUI LES FOURNISSENT

Vitamines	D'origine animale	Céréales	Légumes frais	Huiles et autres sources
VIT. A RÉTINOL	lait et produits laitiers non écrémés, foie, jaune d'œuf	carottes, épinards, salades (tous les légumes et fruits à chair colorée sauf betterave rouge)		huile de foie de morue
VIT. D CALCIFÉROL	thon, sardines, saumon, hareng ; en faible quantité : lait et produits laitiers non écrémés, jaune d'œuf			huile de foie de morue
VIT. E TOCOPHÉROL		céréales complètes, légumes secs	poireaux, épinards, asperges	huiles, margarines végétales
VIT. K	foie		épinards, choux verts, brocoli, légumes à feuilles vertes	
VIT. B_1	jambon, viande de porc, foie, lait, œufs	céréales complètes, légumes secs		levure de bière
VIT. B_2 RIBOFLAVINE	foie, rognons, lait, produits laitiers, viandes, poissons, blanc d'œuf		champignons, légumes à feuilles vertes	levure de bière

Vitamines	D'origine animale	Céréales	Légumes frais	Huiles et autres sources
VIT. PP NIACINE	foie, jambon, poisson, viandes	légumes secs, céréales complètes		levure de bière
VIT B_6 PYRIDOXINE	thon, maquereau, foie, viande	céréales complètes, légumes secs	endives, épinards, haricots verts	
ACIDE PANTHOTÉNIQUE	foie, viande, œufs	céréales complètes, lentilles	petits pois, champignons	levure de bière
ACIDE FOLIQUE	foie, œufs		légumes verts	levure de bière
VIT. B_{12} CYANOCO-BALAMINE	oie, viande, poissons, œufs			
BIOTINE	œufs, foie, viande	légumes verts, champignons	chou-fleur	levure de bière
VIT. C	légumes et fruits crus (surtout les agrumes), ananas, kiwi			

OÙ TROUVER LES SELS MINÉRAUX :
LES ALIMENTS QUI LES FOURNISSENT

Sels minéraux	D'origine animale	Céréales	Légumes frais	Autres sources
CALCIUM	lait, produits laitiers (sauf beurre et crème fraîche)	légumes secs	légumes à feuilles vertes et certains fruits	huile de foie de morue
PHOSPHORE	lait, produits laitiers (sauf beurre et crème fraîche), viandes, poissons	céréales complètes, légumes secs		
MAGNÉSIUM	viande, lait	céréales complètes, légumes secs	légumes à feuilles vertes	
SODIUM	presque tous les aliments (en quantités modérées)	presque tous les aliments (en quantités modérées)	presque tous les aliments (en quantités modérées)	sel ajouté (en cuisine)
POTASSIUM	viandes, poissons, œufs, lait et produits laitiers (sauf beurre et crème fraîche)	céréales complètes, légumes secs, pommes de terre	fruits, légumes verts	
FER	foie, viandes (rouges surtout), œufs, fruits de mer	légumes secs, céréales complètes	légumes (en quantités modérées)	

Que manger ?

Que l'alimentation soit le point d'orgue d'une thérapie anti-cholestérol ne fait aucun doute : il est maintenant nécessaire de définir de façon pratique les aliments qu'il faut préférer et ceux dont il faut modérer la consommation dans notre alimentation quotidienne.

Puisque le régime est essentiellement fait pour contrôler la quantité totale de graisses, et plus particulièrement les graisses saturées et le cholestérol, commençons donc par les aliments qui en sont la source principale.

GRAISSES

Parmi les aliments d'origine animale, le beurre, la crème fraîche, le lard, le saindoux, sont les premiers qu'il faut utiliser avec parcimonie. Ceci s'applique également aux margarines de consistance solide à température ambiante (autres que celles à base de tournesol, maïs, ou fabriqué à base d'huile riche en graisses poly-insaturées).

D'une manière générale, plus une graisse est solide à température ambiante, plus elle est riche en graisses saturées. On peut choisir à sa place des huiles riches en acides gras poly-insaturés (tournesol, maïs, pépins de raisin, noix, soja), et les huiles d'olive, de colza et d'arachide d'Afrique, contenant un important acide gras mono-insaturé : l'acide oléique.

Des régimes trop riches en acides gras poly-insaturés ne sont pas sans inconvénients.

En effet les acides gras poly-insaturés abaissent la partie LDL du cholestérol (le « mauvais »), mais aussi celle HDL (le « bon »). Alors que l'acide oléique, lui, contribue à l'abaissement du taux de cholestérol LDL, tout en préservant le taux de HDL dans le sang, et à la stimulation des sécrétions biliaires. L'huile d'olive, produit de base de la culture méditerranéenne, contient un dosage intéressant en acides gras poly-insaturés et mono-insaturés.

LAIT

Le lait et les produits laitiers sont d'excellentes sources de protéines, de certaines vitamines et, parmi les minéraux, de calcium. Ce sont des aliments dont il est déconseillé de se priver. Par contre, leur teneur en cholestérol et en graisses saturées orientera le choix vers ceux qui contiennent peu de matières grasses. En effet, on a le choix entre différentes sortes de lait, de yaourts et de fromages qui se différencient les uns des autres non seulement par leur qualité, mais aussi par le pourcentage de matières grasses qu'ils contiennent. L'idéal sera de ne consommer que du lait écrémé, des yaourts ordinaires ou maigres, des fromages blancs à 0 % de matières grasses. Habituellement, on conseille de limiter la quantité de fromage à 30 g par jour, lorsque le fromage contient environ 45 % de matières grasses. Avec l'apparition des fromages « allégés », cette quantité peut aller jusqu'à 50 g (pour un fromage à 20 % de matières grasses).

De plus, une gamme de fromages fabriqués à partir de lait écrémé et de matières grasses végétales vient d'être lancée et pourra devenir une alternative intéressante dans le cadre du régime hypocholestérolémiant.

D'une manière générale, il faut préférer ces produits fabriqués à base de lait écrémé ou demi-écrémé sans addition de crème, et utiliser les informations que nous fournissent les étiquettes.

TENEUR EN GRAISSE ET EN CHOLESTÉROL DU LAIT ET DES PRODUITS LAITIERS (POUR 100 G)

Aliments	Lipides (g)	Cholestérol (mg)	Calories
LAIT ENTIER	3,7	14	63
LAIT DEMI-ÉCRÉMÉ	1,7	3	49
LAIT ÉCRÉMÉ	0,2	2	33
YAOURT AU LAIT ENTIER	3,6	10	64
YAOURT ÉCRÉMÉ	1,1	8	42
FROMAGE À PÂTE MOLLE :			
CAMEMBERT À 45 % MG	22	60	280
FROMAGE À PÂTE DURE :			
GRUYÈRE À 45 % MG	28	110	380
LAIT EN POUDRE ÉCRÉMÉ	5,3	–	102
FROMAGE À PÂTE PERSILLÉE :			
BLEU À 45 % MG	30	95	360
FROMAGE À PÂTE FERME :			
SAINT-NECTAIRE À 45 % MG	27	80	340

VIANDE

Les viandes ont l'avantage d'être une bonne source de protéines, de certaines vitamines et de minéraux, notamment en fer. Par contre, leur apport en graisses saturées (bien que pas exclusif) et en cholestérol doivent en faire des aliments dont il faut contrôler la quantité et le choix lors d'un régime hypocholestérolémiant. Hormis certains morceaux qu'il convient d'éviter habituellement tels que les plats de côtes, la langue et l'agneau, toutes les viandes dégraissées peuvent faire partie des menus, en quantités conseillées, lors d'une alimentation équilibrée. Les quantités moyennes conseillées sont de l'ordre de 150 g par jour pour une femme et de 200 g pour un homme, en évitant de consommer le gras visible et la peau (pour les volailles).

Les abats sont à éviter à cause de leur teneur importante en cholestérol.

COMPOSITION NUTRITIONNELLE ET VALEUR ÉNERGÉTIQUE DES VIANDES LES PLUS COURANTES (POUR 100 G)

Aliments	Lipides (g)	Cholestérol (mg)	Calories
BŒUF MI-GRAS	18,8	15,4	214
BŒUF MAIGRE	20,7	5,1	129
LAPIN	20,3	5,4	130
PORC MAIGRE	20,0	7,9	151
PORC MI-GRAS	16,6	23,0	274
BLANC DE POULET	22,4	2,1	108
CUISSE DE POULET	19,6	5,7	130
BLANC DE DINDE	22,0	4,9	134
CUISSE DE DINDE	20,9	11,2	186
VEAU	20,7	1,0	92
VEAU PLUS ÂGÉ MI-GRAS	19,1	9,3	160
VEAU PLUS ÂGÉ MAIGRE	21,3	3,1	113

POISSON

Le poisson de mer ou de rivière est un aliment particulièrement conseillé dans les régimes contenant peu de matières grasses et de cholestérol, mais également dans une alimentation normale. En effet, il fournit un bon apport de protéines de grande valeur biologique et contient peu de graisses.

Et même les poissons plus riches en graisses, tels que la sardine, le maquereau, le thon, le saumon, etc., ont leur place dans une alimentation hypocholestérolémiante.

En effet, les graisses qu'ils renferment sont riches en acides gras poly-insaturés : ils contiennent surtout de l'acide eicosapentaénoïque et docosahexaénoïque, qui en diminuant l'agrégabilité du sang, font chuter le risque de formation de caillots. L'on pourrait tout à fait conseiller de consommer du poisson une fois par jour à la place d'une part de viande.

En ce qui concerne la cuisson, il faut éviter les fritures et préférer les cuissons naturelles sans trop de matières grasses.

Mais quels sont les poissons gras et les poissons maigres? Pour savoir ce que l'on mange et adapter la nature et la quantité de matières grasses en conséquence, reportez-vous au tableau ci-dessous.

CLASSIFICATION DES POISSONS SELON LEUR QUANTITÉ DE MATIÈRES GRASSES

TRÈS MAIGRES jusqu'à 1 % de MG	écrevisses, homard, merlu, daurade, poulpe, raie
MAIGRES de 1 à 3 % de MG	langouste, calmars, mérou, brochet, moules, huîtres, émissoles, turbot, seiche, sole, bar (loup de mer), truite, palourdes
MI-GRAS de 3 à 10 % de MG	anchois, carpe, mulet, espadon, saumon, sardine, rouget
GRAS plus de 10 % de MG	anguille, hareng, thon, maquereau

Par contre, attention aux crustacés (crabes, langoustes, crevettes, etc.) : ce sont des aliments très maigres, mais qui contiennent du cholestérol, à un taux comparable à celui de la viande, concentré dans la tête de ces crustacés. Les mollusques à coquille (huîtres, palourdes, etc.) contiennent également du cholestérol, mais en quantités moindres.

ŒUFS

L'œuf est un aliment souvent sous-estimé car des préjugés et des croyances erronées lui ont donné une mauvaise réputation.

Il est au contraire, du point de vue nutritionnel, un petit réservoir de substances précieuses. Imbattable pour la «noblesse» de ses protéines, il apporte également beaucoup de vitamines.

Mais quelle est sa composition en graisses et en cholestérol? L'œuf contient environ 11 % de graisses, pour la plupart saturées, et une quantité élevée de cholestérol, environ 504 mg pour deux œufs (100 g).

On conseille de limiter la consommation d'œufs à 2 par semaine en cas de régime hypercholestérolémiant. Ainsi l'équilibre du régime diététique ne subira pas de variations importantes.

Il est intéressant de savoir que les graisses de l'œuf sont concentrées dans le jaune, ainsi on peut n'utiliser que le blanc, monté en neige, par exemple.

COMPOSITION NUTRITIONNELLE DE L'ŒUF DE POULE

	Protéines (g)	Lipides (g)	Cholestérol (mg)	Calories (kcal)
ŒUF ENTIER (environ 57 g avec sa coquille)[4]	6,5	5,5	252,0	78,0
JAUNE D'ŒUF (environ 17 g)	2,7	5,4	251,6	60,3
BLANC D'ŒUF (environ 33 g)	3,6	traces	0,0	15,5

4. Les quantités entre parenthèses sont données pour un œuf d'un poids moyen; le blanc représente environ 60 % du poids total.

LÉGUMES

Parmi les produits à forte teneur protéique, on trouve les légumes secs, qui, contenant peu d'eau, offrent plus de substances nutritives que les légumes frais. Même si elles sont inférieures en qualité à celles de la viande, on peut améliorer cette valeur qualitative en les associant aux céréales.

Si les protéines apportées par les aliments d'origine animale sont importantes dans notre alimentation, celles que fournissent les produits végétaux offrent des avantages particuliers : elles n'apportent pas de cholestérol ni de graisses saturées et elles sont riches en fibres solubles et insolubles.

Contrairement à nos habitudes, nous devrions diviser notre quantité quotidienne de protéines entre aliments d'origine animale et aliments d'origine végétale.

Les légumes secs sont donc d'excellents aliments qu'il faut consommer plus souvent et c'est encore mieux de les accompagner d'un plat de céréales pour faire un plat unique, comme nous l'enseigne, par exemple, la tradition culinaire méditerranéenne.

Nous aurons ainsi des plats savoureux, contenant peu de matières grasses et peu de calories, et pourtant nourrissants. En plus des légumes traditionnels, tels que les petits pois, les haricots, les pois chiches, les fèves et les lentilles, il ne faut pas oublier le soja. Bien qu'il appartienne à la famille des légumes, sa composition est nettement différente. En effet, 100 g de soja contiennent environ 35 % de protéines et 18 % d'huile (riche en acides gras poly-insaturés). Des études ont mis en évidence que le soja et ses dérivés auraient la faculté d'abaisser la cholestérolémie et qu'ils ont donc une action préventive contre les maladies cardio-vasculaires.

D'autres études permettront d'évaluer leur efficacité à long terme et leur acceptabilité dans l'alimentation quotidienne.

CÉRÉALES

Contrairement à ce que beaucoup croient, si l'on veut contrôler le nombre de calories de l'alimentation, on ne doit pas réduire de façon draconienne les céréales et leurs dérivés.

En effet, ils fournissent une quantité non négligeable d'hydrates de carbone complexes (sous forme d'amidon) et peu de matières grasses. Aussi des rations adéquates de céréales pourront-elles figurer au menu de ceux qui doivent perdre quelques kilos.

Par contre, il faut faire attention à la façon de les préparer : une mauvaise habitude fréquente consiste à assaisonner les pâtes ou le riz avec des sauces, des préparations grasses qui détruisent l'équilibre de ces aliments et en font de véritables « bombes caloriques ».

Les céréales nous apportent des protéines incomplètes, mais si on les accompagne d'aliments figurant dans la composition de recettes plus classiques (œufs, lait, fromage, viande, poisson, légumes secs), on pallie cet inconvénient.

La semoule et les pois chiches, le maïs et les haricots rouges, la pizza à la napolitaine avec de la mozzarella et des anchois, le pain et le lait ne sont que quelques exemples d'associations excellentes ou de plats uniques (on entend par plat unique un mets capable d'apporter à lui seul les substances nutritives normalement fournies par une entrée et un plat).

COMPOSITION DE LA FARINE DE TYPE 55, DE LA FARINE COMPLÈTE ET DES SOUS-PRODUITS DE LA MOUTURE DU BLÉ[5]

Produit	Eau	Protéines	Graisses	Amidon	Fibres alimentaires
	%	%	%	%	%
FARINE TYPE 55	13-15	9-13	1-2	70-76	0,65
FARINE COMPLÈTE	13-15	10-13	1-2	60-68	7,4-9,4
RÉSIDUS DE FARINE	13-15	13-16	2-4	35-45	18-30
REMOULAGE	13-15	3 5-20	2-4	25-35	24-36
REPASSE	13-15	15-20	3-5	15-20	36-42
SON	13-15	15-18	3-5	10-15	42-54

Il est nécessaire que le pain, les pâtes et les céréales soient présents sur la table, il faut néanmoins les préférer complets, non raffinés.

Le raffinage des céréales, par l'élimination de la partie externe – le son –, détruit une grande partie des sels minéraux et des vitamines, des protéines et des enzymes, qui jouent pourtant un rôle important dans notre organisme. Le retour à des aliments complets se trouve donc être une nécessité, pas seulement une mode !

FRUITS

Il est peut-être superflu de rappeler l'importance des fruits, mais ils sont malheureusement souvent considérés comme compléments d'un repas, alors qu'au contraire ce sont des aliments très précieux. Ils ne contiennent pas de matières grasses, apportent peu de calories et fournissent des fibres alimentaires en quantité élevée (solubles dans la pulpe, insoluble dans la peau), de l'eau, des vitamines et

5. D'après Sohn Disinfectin, *La Fibre alimentaire en thérapie*.

des sels minéraux – éléments indispensables aux processus vitaux de l'organisme. Il faut prêter une attention particulière aux conditions de stockage et de préparation des fruits (et des légumes frais). Pour beaucoup d'entre eux, une exposition prolongée à la lumière, à la température ambiante notamment, leur fait perdre de leurs vitamines. Pendant la cuisson, la vitamine C peut être presque totalement détruite; de plus la cuisson dans de grandes quantités d'eau fait perdre aux aliments une partie de leurs minéraux. Pour faire le plein de vitamines, on conseille donc de consommer des produits frais et crus. Les fruits contiennent plus de sucre que les légumes: il faut donc en modérer la consommation dans le cadre d'une alimentation équilibrée, de l'ordre de 2 à 3 parts de fruits par jour.

VIN

Les principes nutritifs du vin figurent en très petit nombre. L'apport calorique, par contre, est élevé: environ 7 calories par gramme d'alcool (un verre de vin à 12° fournit environ 82 calories, à 13° environ 91 calories). Des études avaient conclu que le vin, consommé en petites quantités, augmentait légèrement le cholestérol HDL (le «bon»). Ce fut donc avec plaisir que nutritionnistes et diététiciens se sont accordés pour le conseiller de façon modérée (un verre par jour). Cependant, des études récentes ont montré que le vin augmentait une partie de HDL qui n'aurait pas d'action bénéfique sur la protection cardio-vasculaire.Néanmoins, il n'est pas encore possible d'affirmer qu'aux doses modérées préconisées le vin ait une action néfaste.

COMMENT CHOISIR LES ALIMENTS

Type d'aliments	À préférer	À limiter	À éviter si l'on doit perdre du poids ou en cas d'hypertriglycéridémie
CÉRÉALES	complètes	petits pains au lait, au beurre, briochés	petits pains au lait, au beurre, briochés
SUCRERIES	gâteaux sans MG à base de fruits, sorbets	gâteaux au beurre, fourrés à la crème, glaces	toutes les sortes de sucreries, sucre, miel, confiture
FRUITS	tous	aucun	fruits secs, fruits au sirop, fruits oléagineux, bananes
LÉGUMES VERTS	tous	aucun	pommes de terre (à consommer en remplacement du pain et des pâtes)
LÉGUMES SECS	tous	aucun	aucun
VIANDE, POISSON, ŒUFS	poisson, viandes maigres et dégraissées	œufs, abats, charcuterie, mollusques, crustacés	œufs, abats, charcuterie, fritures
LAIT, YAOURTS, FROMAGES	produits écrémés, maigres	produits riches en MG	produits riches en MG
BOISSONS	eau, jus de fruits, thé, café léger	vin (les boissons alcoolisées sont à éviter)	vin (les boissons alcoolisées sont à éviter)

Type d'aliments	À préférer	À limiter	À éviter si l'on doit perdre du poids ou en cas d'hypertriglycéridémie
ASSAISONNEMENTS	huile d'olive, de colza, de tournesol, de maïs, de soja, de pépins de raisin, de noix	beurre, lard, saindoux, et autres graisses animales	beurre, lard, saindoux, et autres graisses animales

QU'EST-CE QUI CHANGE EN CUISINE?

Redécouvrons de vraies valeurs

Entreprendre un régime anti-cholestérol implique en premier lieu la personne qui doit faire le régime évidemment, mais aussi la personne qui s'occupe de faire la cuisine. Le ou la cuisinière doit donc posséder un bagage d'informations suffisant, et mettre dans ses préparations beaucoup de sérieux et de fantaisie en même temps.

Si celui qui doit faire baisser son taux de cholestérol cuisine, ce sera une motivation de plus pour changer sa façon de s'alimenter.

Il redécouvrira les saveurs d'une cuisine simple mais naturelle et pourra en même temps se passionner pour la recherche de petits plats traditionnels ou nouveaux, testant ses qualités de « chef ».

Il est facile de rendre tout « bon » au goût en ajoutant aux aliments du beurre, du lard et d'autres choses aussi savoureuses que mauvaises pour la santé ! On masque ainsi le goût véritable de la nourriture et l'on court le risque d'uniformiser la saveur des aliments.

Une cuisine faisant peu usage de condiments, de sauces et de crèmes, met sans aucun doute le ou bien la cuisinière à l'épreuve, mais révèle la véritable saveur des aliments, trop souvent cachée. Nous vous proposons donc une cuisine aux parfums et aux saveurs plus raffinés, et en même temps, une cuisine intelligente, l'œil fixé sur la santé. Et ceux qui ne se sentent pas trop l'âme d'un chef s'arrangeront comme ils peuvent. Les recettes faciles que propose ce livre permettent de se risquer aux fourneaux. Le succès est garanti et les conseils donnés se révéleront également très utiles lorsque l'on est pressé ou que l'on n'a pas envie de cuisiner.

D'abord, il est essentiel de bien acheter. Il est peut-être plus difficile de choisir la matière première que de la préparer. Organiser ses courses avec une liste à la main permet de choisir avec sagesse les aliments tout en évitant les tentations qui sont le plus souvent une surprise désagréable pour le porte-monnaie et qui vont à l'encontre des résultats d'un régime.

Nous trouvons dans les supermarchés une grande variété d'aliments que nous croyons connaître, peut-être parce que nous en avons vu ou entendu des publicités, et dont nous ne connaissons même pas la composition ou la façon de les utiliser correctement.

Établir à l'avance la liste des aliments à acheter implique de programmer, au moins dans les grandes lignes, le contenu des repas pour quelques jours. De quelle façon? Nous le verrons plus tard.

Maintenant, voyons comment ne pas nous laisser tenter par ces plats tout préparés que l'on nous vante dans les publicités. Ils sont censés être légers, «light», allégés. La seule façon de se prémunir contre ce type d'inconvénients est de lire attentivement les étiquettes.

En France, l'étiquette des produits alimentaires doit obligatoirement mentionner les indications suivantes:

- nature exacte de la marchandise;
- nom ou raison sociale et adresse du fabricant;
- nom du pays d'origine de la marchandise;
- poids ou volume net et date de péremption;

⊙ énumération par ordre d'importance décroissante des composants du produit (lorsque la composition du produit se résume à un ingrédient, la proportion de ce dernier doit figurer) et énumération des additifs, colorants, conservateurs, anti-oxygène, émulsifiants, agents de sapidité, de texture et d'aromatisation.

En outre, les produits diététiques et de régime doivent porter les mêmes indications et, outre l'indication des composants du produit par ordre d'importance quantitative décroissante, la valeur calorique et les teneurs en protéines, glucides et lipides.

Les informations essentielles, nécessaires pour savoir si un produit peut convenir à votre régime anti-cholestérol, sont les suivantes : la quantité et la nature des matières grasses. De plus en plus souvent, les étiquettes indiquent la valeur nutritionnelle des produits, et donc la teneur en lipides (graisses) : vous devez tenir compte de cette quantité. Parfois, la nature des matières grasses est indiquée. Lorsque la nomination des graisses est imprécise, il vous est impossible de savoir si le produit est plutôt riche en graisses saturées ou insaturées. Dans ce cas, le fabricant, seul, pourra éventuellement vous indiquer des informations complémentaires.

Attention, donc ! Bien acheter signifie privilégier des produits de bonne qualité.

Une fois que l'on a fait ses achats correctement, il suffit de connaître des « petits trucs » pour apprendre à cuisiner plus sainement. Le premier est l'emploi des herbes aromatiques. Les herbes cultivées sur nos balcons se prêtent largement à une utilisation culinaire : elles donnent de l'arôme et relèvent la saveur de nombreux plats.

Dans le régime que nous vous proposons, les herbes aromatiques sont largement employées, elles permettent d'utiliser moins de matières grasses et moins de sel.

TABLEAU D'UTILISATION DES HERBES AROMATIQUES

Herbes	Plats concernés	Utilisation
PETITE OSEILLE	salades, soupes, minestrones, légumes verts cuits	feuilles fraîches ou sèches
LAURIER	rôtis, préparation pour hachis à base de viande ou de poisson, bouillons, sauces, pâtés, marinades	feuilles entières ou broyées
BASILIC	sauces tomate, salades	feuilles fraîches ou sèches
CÂPRES	sauces tomate, salades	conservés en saumure ou au vinaigre
RAIFORT	sauces, jus pour accompagner les viandes bouillies et les viandes grillées	racines râpées, salées, dans le vinaigre
CLOUS DE GIROFLE	bouillons, farces, marinades	
ARMOISE	sauce pour accompagner les viandes au gril, les soupes, les poissons en papillote, les œufs, la salade	
CIBOULE	poisson, volaille, œufs	feuilles fraîches ou sèches
FENOUIL	poissons grillés, viande de porc, gâteaux, confitures, fruits en conserve	graines
MARJOLAINE	farce, toutes les viandes, le poisson grillé	fraîche ou sèche

Herbes	Plats concernés	Utilisation
MENTHE	légumes verts, omelettes, boissons, gâteaux	feuilles fraîches
NOIX DE MUSCADE	farce, viandes, omelettes, gâteaux	noix râpée
ORIGAN	pizza, viandes, salades à la mozzarella	frais ou séché
PIMENT	viandes, poissons, sauces	fruit frais ou séché
PERSIL	viandes, poissons, légumes verts	frais ou congelé
ROMARIN	rôtis de viande, poissons, grillades	frais ou séché
SAUGE	viande de porc, légumes secs, légumes verts	feuilles fraîches ou sèches
THYM	marinades, grillades, rôtis, sauces	frais ou séché
SAFRAN	risotto, soupes de poissons	en poudre, dissous dans un liquide

On peut acheter sur le marché des herbes fraîches ; elles se conservent très peu de temps au réfrigérateur. On peut aussi, après les avoir lavées et hachées, les congeler (on les trouve également préparées et déjà surgelées) : c'est, sans aucun doute, la meilleure façon d'en avoir toujours sous la main et de les consommer avec toutes leurs propriétés. On peut aussi préférer les herbes séchées que l'on trouve en flacons ; dans ce cas-là, étant donné leur concentration en sels et en arôme, il faut les utiliser en moindres quantités.

Puisqu'il faut être attentif à l'apport de matières grasses, il est conseillé de veiller à la préparation et à la cuisson des aliments, qu'il est toujours plus facile de rendre appétissants abondamment arrosés de jus ou de sauce.

Une cuisine réussie ne dépend pas de la quantité de condiments ou de matières grasses utilisée, mais plutôt des différentes sortes de cuisson adaptées aux aliments que l'on veut servir. C'est alors que la valeur nutritionnelle des aliments choisis avec soin sera préservée et que leur saveur sera rehaussée.

Il existe diverses façons de cuisiner sans matières grasses ou en utilisant le minimum de condiments. Je pense en particulier à la cuisson à la vapeur, au four, au micro-ondes, en papillote, au gril.

Pour ce qui est de la *cuisson à la vapeur*, l'aliment est cuit par la vapeur circulant à l'intérieur d'une cocotte ou dans un ustensile de cuisine spécial. Les aliments les plus adaptés à ce type de cuisson sont ceux qui ne contiennent pratiquement pas de matières grasses, comme le poisson, certaines viandes, les légumes, les pommes de terre, les légumes tendres, le riz, l'orge, les œufs, etc.

Avec la cuisson à la vapeur, les vitamines et les sels minéraux sont le mieux préservés. Elle permet donc de garder intactes les substances nutritives des aliments. Ils conservent également tout leur parfum.

La *cuisson au four* est un excellent moyen de cuisiner les viandes et les poissons, tout en ajoutant peu de matières grasses ou même sans en utiliser aucune. L'aliment, dans ce cas, perd aussi ses graisses.

Le *four à micro-ondes*, nouveauté bien installée aujourd'hui, à la différence du four traditionnel n'utilise pas de source directe de chaleur mais des ondes électromagnétiques (émises par le magnétron) qui provoquent une agitation des molécules de l'aliment, d'où un échauffement considérable et rapide, dans la masse même de l'aliment. Cette méthode révolutionnaire de cuisiner présente des avantages diététiques indubitables puisqu'elle permet de cuisiner sans adjonction de graisses et de bien conserver la valeur nutritionnelle de la nourriture.

La *cuisson en papillote* est aussi très valable sur le plan diététique. On n'a pas besoin de matières grasses, mais on peut éventuellement graisser légèrement la papillote. C'est ainsi que l'on cuit des tranches ou des filets de poisson, des légumes verts, des pommes de terre, des fruits en quantités pas trop importantes cependant. L'ajout d'herbes aromatiques en bouquet ou d'un mélange d'oignon, de carotte et de céleri augmente la saveur. La papillote fait ressortir les parfums et les saveurs, tout en conservant les éléments nutritifs.

La *cuisson au gril* se prête particulièrement bien à la viande, aux filets de poisson ou aux légumes. Il est inutile d'employer des matières grasses. On trouve maintenant des grils spécialement conçus pour récupérer les graisses fondues et l'eau rendue par les aliments dans des rainures prévues à cet effet. La cuisson est parfaite. Il est conseillé de saler et d'ajouter les aromates une fois la cuisson achevée pour éviter les pertes de liquides et augmenter les parfums.

Un autre moyen très simple de cuisiner sans matières grasses consiste à mettre dans une poêle normale des ingrédients pouvant se substituer aux matières grasses, tels que le vin blanc, le marsala, le jus de citron, le vinaigre, qui agrémentent le steak habituel de saveurs originales.

Avec un peu de fantaisie, la cuisine se transformera en un jeu permettant de joindre l'utile à l'agréable.

Nous vous conseillons d'utiliser une balance pour aliments qui vous aidera à surveiller ce que vous mangez. Si vous n'avez pas de balance, n'oubliez pas tous les moyens de mesurer: cuillère, pichet gradué, verre, etc., qui donnent des indications précieuses.

MESURES MÉNAGÈRES

UNE TASSE	d'eau de lait de céréales de farine de sucre	220 g 240 g 50 g 100 g 200 g
UNE CUILLERÉE À SOUPE	d'huile de lait de miel de farine de sucre	14 g 14 g 20 g 8 g 12 g
UNE CUILLERÉE À CAFÉ	d'huile de sucre de fromage râpé	5 g 5 g 8 g

COMMENT COMPOSER VOTRE MENU

Règles fondamentales

On a vu l'importance que revêt la composition du menu avant d'aller faire les courses. Les achats seront alors sensés et se baseront sur des normes nutritionnelles équilibrées. Maintenant, voyons comment faire. Planifier une semaine de menus revient à programmer 14 déjeuners et dîners, tout en ayant soin d'inclure toutes les substances nutritives dont nous avons besoin, sans tomber dans l'excès, et en contrôlant le nombre de calories, tout cela sans rien ôter à la saveur et à la présentation des plats. Pour faciliter votre choix, les nutritionnistes ont imaginé de classer les aliments en cinq groupes, chacun ayant des caractéristiques diététiques précises et comprenant des aliments équivalents du point de vue des principes nutritifs (voir tableau page suivante). Pour qu'une journée de régime soit équilibrée, vous devez faire apparaître sur votre table :

- 1 à 2 fois des aliments se trouvant dans le groupe de la viande ;
- 3 fois des aliments appartenant au groupe du lait et des produits laitiers ;
- 4 fois ou plus des aliments des groupes des légumes et des fruits ;
- 4 fois ou plus des aliments du groupe des céréales et des légumes secs.

GROUPES ALIMENTAIRES

Groupes	Aliments	Principes nutritifs
VIANDES	viandes rouges et blanches, poissons, œufs, crustacés, mollusques	protéines de bonne qualité, MG, vitamines du groupe B
LAIT ET PRODUITS LAITIERS	lait, yaourts, fromages, fromages blancs	protéines de bonne qualité, calcium, MG, vitamines du groupe B
LÉGUMES SECS	pois chiches, flageolets, fèves, lentilles	protéines
CÉRÉALES ET DÉRIVÉS	pains, biscottes, semoule, pâtes, riz, orge, avoine, farine, pommes de terre...	sucres complexes, vitamines du groupe B, protéines végétales, fibres alimentaires (surtout dans les aliments complets)
MATIÈRES GRASSES POUR ASSAISONNEMENT	beurre, huiles, margarines, lard, saindoux, mayonnaises et sauces grasses	graisses, acides gras essentiels
LÉGUMES ET FRUITS (SOURCE DE VITAMINE A)	abricots, pêches, melon, carottes, bettes, courgettes, chicorée, endives...	vitamine A, eau, sels minéraux, fibres alimentaires
LÉGUMES ET FRUITS (SOURCE DE VITAMINE C)	agrumes (pamplemousses, oranges, mandarines, citrons), melon, kiwis, fraises, brocoli, tomates, poivrons, choux, chou-fleur, épinards, laitue...	vitamine C, eau, sels minéraux, fibres alimentaires

En ce qui concerne les condiments, il faut les inclure dans les rations quotidiennes car, en plus de véhiculer les vitamines liposolubles, ils apportent l'énergie et les acides gras indispensables.

Il faut privilégier les huiles végétales, surtout crues, et n'utiliser que la quantité nécessaire.

En vous servant des conseils sur les aliments donnés dans le paragraphe «Que manger» et le tableau page 45-46, vous pourrez sélectionner les aliments les plus adaptés à votre régime anti-cholestérol et prévoir un menu équilibré.

Lorsque vous rédigez un menu, il est important de raisonner en termes d'équilibre diététique. C'est pourquoi il est nécessaire que les aliments s'harmonisent et se combinent correctement les uns aux autres.

Si, au cours d'un repas, on prévoit un aliment ou une recette particulièrement riche en un principe nutritif quelconque (protéines, graisses ou sucres), les plats suivants devront être conçus pour équilibrer le repas.

Par exemple, si vous prévoyez un plat de céréales et de légumes secs, il vaudra mieux éviter de le servir avec un plat à base de viande et préférer des légumes verts et des fruits frais. De même, si vous servez en fin de repas des fromages ou des plats assez gras, comportant des crèmes ou autre, compensez par une entrée pauvre en matières grasses, si possible à base de légumes verts.

Mais comment faire avec les quantités? Chacun devrait avant tout vérifier si son poids entre bien dans les normes, c'est-à-dire s'il n'est pas en dessous (trop mince) ou au-dessus (gros, voire obèse) des normes établies.

Maintenir son poids est une chose très importante pour la santé, particulièrement en cas d'hypercholestérolémie, où tout excès doit être corrigé.

En effet, la prise de poids, surtout due à un apport calorique total excessif, influence de façon négative la cholestérolémie.

Il est donc important d'essayer de maintenir son poids s'il est normal, ou bien d'essayer de le ramener à des valeurs normales s'il est supérieur. Dans ce cas, une consultation médicale et diététique vous permettra d'adapter au mieux votre alimentation notamment en fonction de votre ration énergétique habituelle. Les besoins énergétiques dépendent du sexe, de l'âge, de la taille, du poids et du type de constitution que l'on a, mais aussi de l'activité physique effectuée quotidiennement. Repérez dans le tableau ci-dessous le genre d'activités que vous faites.

TYPES D'ACTIVITÉS

ACTIVITÉS TRÈS LÉGÈRES	travail de bureau requérant de l'attention, regarder la télévision, tout travail que l'on fait assis
ACTIVITÉS LÉGÈRES	travaux ménagers quotidiens, promenade, travail qui demande peu de mouvements (chauffeurs, etc.)
ACTIVITÉS MODÉRÉES	travaux ménagers fatigants (laver le sol, laver les vitres, etc.), travail nécessitant un relatif exercice physique (manœuvres, etc.)
ACTIVITÉS IMPORTANTES	travaux très fatigants exigeant un gros effort physique (travaux à la campagne, sports de compétition, etc.)

Maintenant que voilà établie votre activité quotidienne, vous pouvez calculer grâce au tableau ci-contre vos besoins journaliers.

TABLEAU POUR CALCULER LE NOMBRE DE CALORIES QUOTIDIENNES NÉCESSAIRES[6]

Multipliez votre poids par le chiffre correspondant au type d'activités que vous faites, puis ajoutez le chiffre standard. La valeur obtenue correspond à vos besoins énergétiques quotidiens.

SCHÉMA D'ÉVALUATION DE POIDS[6]

FEMME	activités très légères	poids en kg x 23 + 580 = ... calories
	activités légères	poids en kg x 26 + 580 = ... calories
	activités modérées	poids en kg x 30 + 580 = ... calories
	activités importantes	poids en kg x 39 + 580 = ... calories
HOMME	activités très légères	poids en kg x 20 + 850 = ... calories
	activités légères	poids en kg x 29 + 850 = ... calories
	activités modérées	poids en kg x 33 + 850 = ... calories
	activités importantes	poids en kg x 42 + 850 = ... calories

En consultant le tableau des calories, des graisses et du cholestérol contenus dans les aliments les plus courants et prenant en compte la valeur calorique par portion, donnée pour chaque recette présentée plus loin, vous pourrez ajuster votre alimentation dans les limites que vous désirez. Globalement votre alimentation quotidienne ne devra pas comprendre plus de 300 mg de cholestérol et les graisses devront rester inférieures à 30 % du nombre de calories

6. D'après *Manger mieux pour vivre mieux*, Milan, 1987.

journalières (les graisses saturées constitueront au maximum 10 % des graisses totales).

CALORIES, GRAISSES ET CHOLESTÉROL CONTENUS DANS LES ALIMENTS LES PLUS COURANTS[7]

Aliments	Calories (kcal)	Graisses (g)	Cholestérol[8] (mg)
VIANDES			
viande de bœuf maigre	129	5,1 (S)	68
viande de bœuf mi-grasse	214	15,4 (S)	68
lapin	130	5,4 (S/P)	65
viande de porc maigre	151	7,9 (S)	62
blanc de poulet	108	2,1 (S/P)	67
cuisse de poulet	130	5,7 (S/P)	88
blanc de dinde	134	4,9 (S/P)	82
foie de génisse	132	50 (S)	300
tête roulée	298	25,0 (S)	–
lard maigre de porc	425	40,9 (S)	215
jambon cuit maigre	172	11,3 (S)	64
jambon cru maigre	153	4,6 (S)	92
saucisson	465	36,3 (S)	60
saucisse de Francfort	292	26,8 (S)	65
POISSONS			
anchois	89	2,4 (S/P)	70
roussette	71	0,3 (S/P)	46
sole	80	1,2 (S/P)	(70)

7. Pour les produits d'origine animale, nous indiquons également le type d'acides gras présents en majorité dans l'aliment. « S » désigne les acides gras saturés, « P » les acides gras poly-insaturés, « S/P » indique la présence en quantités égales d'acides gras saturés et poly-insaturés.
8. Un tiret signifie absence de données. Les valeurs données entre parenthèses se réfèrent à des aliments analogues ou à des chiffres obtenus par calcul.

Aliments	Calories (kcal)	Graisses (g)	Cholestérol (mg)
thon en saumure	103	0,3 (S)	63
thon à l'huile	258	18,5 (S/P)	65
truite	86	3,0 (S/P)	55
ŒUF DE POULE	156	11,1, (S)	504
LAIT ET PRODUITS LAITIERS			
lait de vache entier	63	3,7 (S)	14
lait de vache demi-écrémé	49	1,8 (S)	3
lait de vache écrémé	33	0,2 (S)	2
yaourt entier	64	3,6 (S)	10
yaourt écrémé	42	1,1 (S)	8
fromage à pâte molle : camembert à 45 % MG	280	22 (S)	60
fromage à pâte dure : gruyère à 45 % MG	380	28 (S)	110
lait en poudre écrémé	102	5,3 (-)	-
fromage à pâte persillée : bleu à 45 % MG	360	30 (S)	95
glace au lait	240	13,6 (S)	40
LÉGUMES SECS			
flageolets	254	2,9	0
fèves sans peau	304	2,4	0
lentilles	296	2,7	0
petits pois	274	traces	0
CÉRÉALES ET DÉRIVÉS			
biscuits secs	409	8,1	0
biscottes	409	5,2	0
flocons d'avoine	372	7,5	0
orge perlé	326	1,0	0
pain	290	2,9	0

Aliments	Calories (kcal)	Graisses (g)	Cholestérol (mg)
pain	290	2,9	0
pâtes	336	2,4	0
riz	340	2,7	0
pommes de terre	90	traces	0
MATIÈRES GRASSES POUR ASSAISONNEMENT			
beurre	752	83,1 (S)	250
lard	891	99,0 (S)	95
huile d'arachide	900	100,0 (S/P)	0
huile de maïs	900	100,0 (S/P)	0
huile d'olive	900	100,0 (S/P)	0
LÉGUMES ET FRUITS			
bettes	12	0,1	0
artichauts	17	0,2	0
carottes	22	0,0	0
chou-fleur	25	0,2	0
choux verts	22	0,2	0
concombre	14	0,5	0
chicorée	12	0,1	0
oignon	24	traces	0
haricots verts	18	0,1	0
fenouil	16	0,3	0
champignons	16	0,6	0
endives	10	0,3	0
laitue	15	0,4	0
aubergines	16	0,	0
poivrons	19	0,3	0
tomates	17	0,2	0
courgettes	15	0,1	0
abricots	31	0,1	0
ananas	46	traces	0
orange	41	0,3	0

Aliments	Calories (kcal)	Graisses (g)	Cholestérol (mg)
cerises	48	0,1	0
fraises	29	0,4	0
pomme	45	0,3	0
melon	30	0,2	0
poire	38	0,4	0
pêche	30	0,1	0
pamplemousses	36	0,2	0
fruits secs (amandes, noix, noisettes)	607	57,0	0

Durée d'un régime anti-cholestérol

Le succès de votre régime anti-cholestérol dépend étroitement de la constance et du sérieux avec lesquels vous appliquerez les conseils donnés.

Si votre façon de vous nourrir actuellement est très différente de celle que nous vous proposons, vous ne pouvez pas la modifier brutalement: vous courriez à l'échec.

Par contre, il est important de vous initier à ce type d'alimentation tout doucement, en changeant vos habitudes progressivement. Les succès obtenus avec le temps sont souvent garants de durée.

Respecter aussi rigoureusement que possible le régime pendant au moins six à huit semaines pourra vous assurer, dans la plupart des cas, un abaissement certain de la cholestérolémie, mais si vous désirez conserver les résultats obtenus, n'oubliez pas les indications essentielles de ce régime.

Le régime anti-cholestérol, grâce à son apport limité en graisses et en cholestérol, à sa richesse en fibres, à son nombre surveillé de calories, est en outre le régime le plus adapté à la prévention de nombreuses autres maladies et pathologies telles que l'obésité, le diabète gras, et peut-être certains cancers.

Il faut le considérer comme une hygiène de vie, plutôt que comme un régime particulier, ou comme une série de conseils pour rester en bonne santé à tout âge.

TROIS JOURNÉES DIÉTÉTIQUES ADAPTÉES À TROIS BESOINS DIFFÉRENTS

JOURNÉE DIÉTÉTIQUE À 1600 KCAL

Régime à tendance hypocalorique,
conseillé dans le traitement des hypercholestérolémies.

Protéines .... 21 %
Lipides .... 26 % (dont 10 % de graisses saturées)
Glucides .... 53 %
Cholestérol .... 100 mg
Fibres .... 35 g

Petit déjeuner

- Café ou thé sans sucre
(possibilité d'utiliser un édulcorant)
- Lait écrémé .... 200 ml
Ou : autre produit laitier : 125 g (2/3 de bol)
- Pain complet .... 60 g
- Margarine au tournesol ou au maïs .... 10 g

En-cas

- 1 fruit frais .... 150 g

JOURNÉE DIÉTÉTIQUE À 1600 KCAL

Déjeuner

• Viande maigre (rouge ou blanche) .... 100 g
Ou : 120 g de poisson
• Légumes verts cuits ou crus .... 200 à 300 g
(selon l'appétit)
• Pain complet .... 60 g
• Fromage 1/8 de camembert ou autre .... 30 g (1 portion)
Ou : 1 produit laitier
• 1 fruit frais .... 150 g

Dîner

• Poisson .... 120 g
Ou : 100 g de viande maigre
• Légumes verts cuits ou crus .... 200 à 300 g
(selon l'appétit)
• Pain complet .... 60 g
• 1 yaourt nature
Ou : fromage blanc
• 1 fruit frais .... 150 g

Assaisonnement pour le déjeuner et le dîner : 10 g d'huile d'olive ou de colza + 10 g d'huile de tournesol ou maïs ou soja (ou 10 g de margarine au tournesol ou maïs).

JOURNÉE DIÉTÉTIQUE À 2 000 KCAL

Régime normal en ce qui concerne le nombre de calories, conseillé dans le traitement des hypercholestérolémies.

Protéines .... 18 %
Lipides .... 30 % (dont 10 % de graisses saturées)
Glucides .... 52 %
Cholestérol .... 100 mg
Fibres .... 35 g

Petit déjeuner

- Café ou thé, sucré (2 morceaux)
- 1 yaourt écrémé .... 125 g

Ou : 200 ml de lait écrémé

- Pain complet .... 80 g
- Margarine au tournesol ou au maïs .... 15 g

En-cas

- 1 fruit .... 150 g

Ou : 1 verre de jus de fruit pressé.

Déjeuner

- Pommes de terre .... 200 g

Ou : 50 g de pâtes ou riz ou semoule ou légumes secs (poids cru)

- Viande maigre (rouge ou blanche) .... 100 g

Ou : 120 g de poisson

- Légumes verts crus ou cuits .... 100 g ou plus
- Pain complet .... 80 g
- Fromage (1/8 de camembert ou autre) .... 30 g

Ou : 1 produit laitier

- 1 fruit .... 150 g

JOURNÉE DIÉTÉTIQUE À 2 000 KCAL

Dîner

- Poisson .... 120 g

Ou : 100 g de viande maigre

- Légumes verts crus ou cuits .... 200 à 300 g

(selon l'appétit)

- Pain complet .... 80 g
- 1 yaourt nature sucré (10 g de sucre)

Ou : fromage blanc

Assaisonnement pour le déjeuner et le dîner : 20 g d'huile d'olive ou de colza + 20 g d'huile de tournesol ou maïs ou soja (ou 20 g de margarine au tournesol ou maïs)

JOURNÉE DIÉTÉTIQUE À 2 400 KCAL

Régime normal en ce qui concerne le nombre de calories, conseillé dans le traitement des hypercholestérolémies.

Protéines .... 17 %
Lipides .... 30 % (dont 10 % de graisses saturées)
Glucides .... 53 %
Cholestérol .... 125 mg
Fibres .... 45 g

Petit déjeuner

- Café ou thé, sucré (2 morceaux)
- 1 yaourt maigre .... 125 g

Ou : 200 ml de lait écrémé

- Pain complet .... 120 g
- Margarine au tournesol ou maïs .... 20 g

JOURNÉE DIÉTÉTIQUE À 2 400 KCAL

En-cas

- 1 fruit .... 150 g

Ou : 1 verre de jus de fruit pressé

Déjeuner

- Viande maigre (blanche ou rouge) .... 120 g

Ou : 150 g de poisson

- Pommes de terre .... 300 g

Ou : 75 g de pâtes ou riz ou semoule ou légumes secs (poids cru)

- Légumes verts crus ou cuits .... 100 g ou plus
- Pain complet .... 80 g
- Fromage (1/8 camembert ou autre) .... 30 g

Ou : 1 produit laitier

- 1 fruit .... 150 g

Dîner

- Poisson .... 120 g

Ou : 100 g de viande maigre

- Légumes verts crus ou cuits .... 200 à 300 g
- Pain complet .... 120 g
- 1 yaourt nature sucré (10 g de sucre)

Ou : fromage blanc

- 1 fruit .... 150 g

Assaisonnement pour le déjeuner et le dîner : 20 g d'huile d'olive ou de colza, 30 g d'huile de tournesol ou maïs ou soja (ou 30 g de margarine au tournesol ou maïs)

Explications pour comprendre le fonctionnement de ces journées

- La quantité des aliments est calculée à partir du poids de l'aliment cru, épluché, prêt à consommer.
- La quantité de matières grasses prévue pour la journée peut être répartie selon votre goût personnel, doit être consommée intégralement mais ne doit pas être dépassée.
- Les aliments de remplacement doivent être utilisés en fonction des indications et des conseils donnés dans le chapitre « Comment composer votre menu ».
- Les plats de pommes de terre ou de féculents ont été indiqués au déjeuner et les plats de légumes, le soir. Cet ordre peut tout à fait être inversé. Pensez simplement que dans une alimentation équilibrée, on conseille un plat de féculents et un plat de légumes verts par jour.
- Les 80 g de pain peuvent être remplacés par 200 g de pommes de terre ou 50 g de pâtes (ou riz ou semoule ou légumes secs) et vice-versa.
- On peut manger tous les légumes verts frais de saison, crus ou cuits, à l'exclusion des pommes de terre, prévues seulement en remplacement du pain.

Ces trois journées diététiques satisfont trois besoins énergétiques différents et ont toutes été élaborées pour traiter les hypercholestérolémies.

La journée diététique à 1600 kcal a été prévue pour ceux qui ont quelques kilos à perdre : ce régime est à tendance hypocalorique. Les journées diététiques à 2000 et 2400 kcal sont adaptées respectivement à des femmes et à des hommes.

Les aliments indiqués pour les trois journées diététiques vous sont donnés de façon générique (viande blanche, poisson, légumes verts, etc.), afin de vous permettre de les choisir et de varier leur saveur selon les conseils que ce livre vous a apportés et également selon votre goût.

Les menus proposés ont été conçus en fonction d'un régime contenant peu de cholestérol, équilibré en principes nutritifs et en nombre de calories; on a insisté sur la variété dans ces menus.

En ce qui concerne les quantités, elles doivent correspondre à celles que nous vous indiquons dans la journée diététique répondant à vos besoins.

Il vous sera facile de respecter les quantités imposées par votre schéma diététique, même si vous cuisinez les appétissantes recettes que nous vous donnons. En effet, elles ont été élaborées et préparées en fonction des schémas diététiques proposés.

Elles sont facilement réalisables par tous. Il ne faut toutefois pas oublier que les régimes présentés dans ce livre sont, en fait, de grandes lignes pour vous permettre de rétablir votre cholestérolémie, mais qu'ils n'entendent pas se substituer à la compétence de votre médecin et de votre diététicien.

Nous vous conseillons donc de consulter votre médecin traitant afin qu'il vérifie que le régime alimentaire que vous suivez est adapté.

PREMIÈRE SEMAINE	
Lundi midi • Spaghettis au jus de citron • Poulet en papillote • Artichauts sautés à la poêle	***Lundi soir*** • Mulet grillé • Salade multicolore
Mardi midi • Macaronis au basilic • Filet de dinde au poivron • Salade multicolore	***Mardi soir*** • Bouillon de riz et d'orties • Rigotte fraîche de vache • Épinards bouillis
Mercredi midi • Daurade au four • Pommes de terre cuites à l'eau • Pomme cuite à l'orange	***Mercredi soir*** • Spaghettis au basilic et à l'ail • Jambon cru maigre • Haricots verts à la tomate
Jeudi midi • Pâtes de farine complète à la tomate • Filet de bœuf au poivre vert • Carottes râpées	***Jeudi soir*** • Consommé de fèves • Salade de fruits au yaourt
Vendredi midi • Thon aux petits pois • Gâteau léger	***Vendredi soir*** • Soupe de légumes verts • Poulet à la bière • Petits oignons à l'étouffée

PREMIÈRE SEMAINE	
Samedi midi • Spaghettis à la sauce au yaourt • Truite saumonée à l'huile d'olive et au jus de citron • Fenouil parfumé	***Samedi soir*** • Soupe savoureuse • Lapin parfumé au thym • Salade multicolore
Dimanche midi • Croquettes à la vapeur • Légumes verts au four • Meringues à la crème glacée	***Dimanche soir*** • Bouillon de courgettes • Salade capriote

DEUXIÈME SEMAINE	
Lundi midi • Spaghettis aux olives • Anchois au jus de citron • Salade multicolore	***Lundi soir*** • Soupe de riz et de lentilles • Coupe de fruits exotiques
Mardi midi • Pâtes aux aubergines • Escalopes au vert • Courgettes sautées à l'ail et au persil	***Mardi soir*** • Truite saumonée en papillote Carottes marinées
Mercredi midi • Rosbif au sel • Purée de pommes de terre	***Mercredi soir*** • Consommé de flocons d'avoine • Légumes d'été mélangés

DEUXIÈME SEMAINE	
Jeudi midi • Pâtes à la tomate et aux champignons • Sole à la sauce au citron • Salade multicolore	***Jeudi soir*** • Poulet au citron • Salade multicolore
Vendredi midi • Pâtes au thon • Jambon cru maigre • Haricots verts à la tomate	***Vendredi soir*** • Pizza napolitaine • Pomme fourrée
Samedi midi • Lapin sauce piquante • Pommes de terre en papillote	***Samedi soir*** • Soupe de légumes passés • Œuf à la coque
Dimanche midi • Roussette grillée • Petits pois et laitue braisés • Meringues aux parfums mélangés	***Dimanche soir*** • Pâtes au chou-fleur • Poulet à la bière • Salade multicolore

LIVRE DE RECETTES

• Ce livre comporte 68 recettes équilibrées en principes nutritifs, ne contenant que peu de graisses et de cholestérol.

• Les ingrédients s'entendent pour 4 personnes. Mais le nombre de calories et le cholestérol sont indiqués par personne (lorsque la liste des ingrédients ne mentionne pas le poids de la viande ou du poisson utilisé, c'est que l'on compte 100 g de viande ou 120 g de poisson).

• Pour les plats d'accompagnement (légumes) et les fruits, qui n'apportent pas de cholestérol, nous indiquons le contenu en fibres alimentaires.

• Presque toutes les recettes comportent du poivre ou du piment. Utilisez-les selon votre goût !

• Élaborez vos menus en alternant les recettes. Vous pourrez ainsi suivre le régime anti-cholestérol d'une façon agréable, et constater des résultats positifs sur votre cholestérolémie.

ENTRÉES

Bouillon de courgettes

Calories : 157 • Cholestérol : 0 mg

INGRÉDIENTS

500 g de courgettes
2 tomates bien mûres
1 poignée de persil
100 g de pâtes ou de riz
2 cuillerées d'huile d'olive
sel et poivre

• Faites rissoler dans une casserole, avec l'huile, les courgettes coupées en dés, ajoutez-leur les tomates et le persil haché, puis suffisamment d'eau pour le bouillon.
• Portez à ébullition, ajoutez les pâtes. Salez et poivrez à votre goût. Laissez se terminer la cuisson.

Bouillon de riz et d'orties

Calories : 170 • Cholestérol : 0 mg

INGRÉDIENTS

400 g de riz
bouillon de légumes
1 poignée d'orties
1 petite poignée de persil
sel et poivre

• Lorsque le bouillon est arrivé à ébullition, versez le riz et faites-le cuire.
• Ajoutez sel et poivre et quelques minutes avant la fin de la cuisson les orties et le persil hachés.

Consommé de fèves

Calories : 404 • Cholestérol : 13 mg

INGRÉDIENTS

200 g de fèves fraîches
2 cuillerées d'huile
2 anchois salés
1 oignon coupé en tranches
150 g de pâtes courtes
sel et poivre
1 feuille de sauge
4 petites cuillerées de fromage râpé (40 g)

• Dans une casserole, mettez l'huile, l'oignon en tranches, la sauge, les anchois coupés en petits morceaux et les fèves épluchées.
• Salez, poivrez et laissez cuire à feu doux pendant 20 minutes, ajoutez si nécessaire de l'eau chaude en cours de cuisson.
• Ajoutez suffisamment d'eau pour préparer la soupe, et lorsqu'elle bout versez les pâtes.
• Parsemez de fromage râpé, couvrez et laissez reposer quelques instants avant de servir. Remuez bien.

Consommé de flocons d'avoine

Calories : 80 • Cholestérol : 10 mg

INGRÉDIENTS

4 cuillerées de flocons d'avoine
bouillon de légumes
4 petites cuillerées de fromage râpé (40 g)

• Délayez les flocons d'avoine dans le bouillon froid.
• Laissez cuire 30 minutes à feu doux.
• Servez avec du fromage râpé.

Macaronis au basilic

Calories : 409 • Cholestérol : 0 mg

INGRÉDIENTS

400 g de macaronis
500 g de tomates mûres
1/2 oignon haché
1 bouquet de basilic
1/2 cuillerée de sucre en poudre
sel et poivre

• Faites blondir l'oignon haché dans l'huile.
• Ajoutez les tomates coupées en petits morceaux après les avoir épépinées. Salez, poivrez et ajoutez le sucre.
• Laissez cuire ainsi pendant 30 minutes avant d'ajouter le basilic grossièrement haché.
• Laissez les saveurs se mélanger. Versez ce jus sur les pâtes cuites dans de l'eau salée.

Pâtes à la tomate et aux champignons

Calories : 405 • Cholestérol : 0 mg

INGRÉDIENTS

400 g de pâtes
400 g de pulpe de tomate
200 g de champignons frais ou une poignée de champignons séchés
1 gousse d'ail
du basilic
sel, un peu de piment

• Faites blondir l'ail. Puis ôtez-le de la casserole. Ajoutez alors les champignons et laissez cuire une dizaine de minutes.
• Ajouter la pulpe de tomate, le sel et le piment puis laissez cuire tout doucement.

• Avant d'éteindre le feu, enlevez le piment, et ajoutez le basilic haché.
• Faites cuire les pâtes, égouttez-les et servez-les avec la sauce bien chaude.

Pâtes au chou-fleur

Calories : 418 • Cholestérol : 0 mg

INGRÉDIENTS

400 g de macaronis
1 chou-fleur
1 oignon rouge moyen
1 cuillerée de persil haché
1 cuillerée de pignons hachés
1 cuillerée d'huile d'olive
vinaigre et sel

• Nettoyez et préparez le chou-fleur. Lavez-le et laissez-le tremper pendant une demi-heure dans un plat rempli d'eau à laquelle vous aurez eu soin d'ajouter deux cuillerées de vinaigre.
• Égouttez et faites cuire dans de l'eau bouillante salée pendant 10 minutes.
• Sur le feu mettez une poêle avec l'huile et l'oignon haché. N'attendez pas qu'il ait blondi pour ajouter les bouquets de chou-fleur. Laissez cuire ainsi 5 minutes. Mettez alors le persil, les pignons.
• Salez, poivrez et remuez le tout délicatement.
• Faites cuire dans beaucoup d'eau salée les pâtes, égouttez-les et servez-les avec la sauce chaude.

Pâtes au thon

Calories : 428 • Cholestérol : 16 mg

INGRÉDIENTS

400 g de pâtes
500 g de tomates bien mûres
100 g de thon au naturel
2 cuillerées d'huile
ail et sel

• Faites blondir dans l'huile quelques gousses d'ail. Ôtez-les.
• Ajoutez alors dans votre casserole les tomates pelées, épépinées et coupées en petits morceaux. Remuez bien et laissez cuire 10 minutes.
• Assaisonnez à votre goût et versez la préparation sur les pâtes cuites dans beaucoup d'eau salée. Elles doivent être *al dente*.

Pâtes aux aubergines

Calories : 416 • Cholestérol : 0 mg

INGRÉDIENTS

400 g de pâtes
400 g de pulpe de tomates
2 aubergines moyennes
1 petit oignon
1 gousse d'ail
2 cuillerées d'huile
quelques feuilles de basilic
sel et poivre

• Coupez les aubergines en dés, disposez-les sur un plat. Salez-les et laissez-les reposer pendant une demi-heure.
• Mettez dans une casserole l'oignon haché et l'huile.
• Faites-le blondir, ajoutez-lui alors les aubergines bien égouttées, la pulpe de tomate, le sel et le poivre. Laissez cuire en couvrant. Avant d'ôter du feu, ajoutez le basilic et l'ail haché.

• Faire cuire les pâtes dans de l'eau salée, égouttez-les : elles doivent être *al dente*. Servez-les avec votre préparation.

Pâtes de farine complète à la tomate

Calories : 412 • Cholestérol : 0 mg

INGRÉDIENTS

400 g de pâtes à la farine complète
500 g de pulpe de tomate
1 oignon
1 feuille de laurier
1/2 cuillerée de sucre
2 cuillerées d'huile
sel et poivre

• Versez la pulpe de tomate dans une poêle en terre cuite dans laquelle vous aurez déjà fait dorer l'oignon dans l'huile. Ajoutez le sel et le poivre, le sucre et la feuille de laurier. Laissez cuire à feu doux pendant 30 minutes.
• Faites cuire les pâtes, égouttez-les et servez avec la sauce.

Pizza napolitaine

Calories : 386 • Cholestérol : 9 mg

INGRÉDIENTS

400 g de pâte à pizza
50 g d'anchois à l'huile
300 g de tomates mûres
1 poignée de câpres
1 cuillerée d'origan
4 cuillerées d'huile
sel et poivre

• Étendez la pâte sur la plaque du four légèrement huilée.
• Mettez les tomates pelées, épépinées et coupées en petits morceaux, les anchois, les câpres. Parsemez d'origan, salez, poivrez et mettez à four chaud pendant environ 20 minutes.

Soupe de légumes passés

Calories : 170 • Cholestérol : 0 mg

INGRÉDIENTS

300 g de pommes de terre
200 g de haricots et de petits pois (frais ou surgelés)
2 carottes
2 courgettes
1 oignon
1 côte de bette
quelques feuilles de basilic
2 cuillerées d'huile
sel, poivre
quelques croûtons grillés au four

• Faites bouillir dans un litre d'eau les légumes coupés en dés, passez au tamis, ajoutez suffisamment d'eau pour le bouillon.
• Assaisonnez à votre goût, laissez bouillir quelques minutes.
• Ajoutez alors l'huile d'olive et servez avec des croûtons grillés.

Soupe de légumes verts

Calories : 224 • Cholestérol : 0 mg

INGRÉDIENTS

100 g de pâtes ou de riz
2 pommes de terre
2 carottes
1 oignon
1 courgette
1 côte de céleri
2 tomates
quelques feuilles de bettes
2 cuillerées d'huile
sel et poivre

• Coupez les légumes en petits dés et mettez-les dans une casserole. Ajoutez suffisamment d'eau pour faire le bouillon.

Salez et poivrez. Laissez cuire environ une demi-heure. Ajoutez alors les pâtes et lorsqu'elles seront cuites mettez l'huile.

Soupe de riz et de lentilles

Calories : 379 • Cholestérol : 9 mg

INGRÉDIENTS

300 g de lentilles
100 g de riz
40 g de jambon cru maigre
1 feuille de laurier
1 petit oignon
sel
1 cuillerée de farine
1 poignée de persil haché
2 cuillerées d'huile

• Dans une casserole, mettez les lentilles, la tranche de jambon, le laurier, 2 litres d'eau et laissez cuire pendant environ 2 heures.
• Coupez l'oignon en tranches et mettez-le à blondir dans l'huile avec l'ail (que vous ôterez dès qu'il commencera à dorer).
• Ajoutez alors la farine, mélangez bien et ajoutez une louche d'eau chaude.
• Versez le tout dans la casserole avec les lentilles, mettez le riz, le persil haché. Salez, poivrez et portez à ébullition. Laissez mijoter le temps que le riz cuise.

Soupe savoureuse

Calories : 170 • Cholestérol : 0 mg

INGRÉDIENTS

60 g de farine d'avoine
1 oignon haché
quelques champignons séchés
sel et poivre
croûtons grillés au four

• Au préalable, faites mariner les champignons dans 2 cuillerées d'huile d'olive.
• Délayez la farine d'avoine dans de l'eau et versez-la dans l'eau dont vous aurez recouvert, dans une casserole, l'oignon haché et les champignons.
• Salez, poivrez et laissez cuire une quinzaine de minutes. Servez avec des croûtons grillés.

Spaghettis à la sauce au yaourt

Calories : 386 • Cholestérol : 12 mg

INGRÉDIENTS

400 g de spaghettis
200 g de yaourt écrémé nature
noix de muscade
fromage râpé

• Faites cuire les spaghettis dans beaucoup d'eau salée.
• Égouttez-les et servez-les avec le yaourt et le parmesan mélangés et un peu de noix de muscade.

Spaghettis au basilic et à l'ail

Calories : 493 • Cholestérol : 12 mg

INGRÉDIENTS

400 g de spaghettis
50 g de basilic
3 gousses d'ail
4 cuillerées d'huile d'olive
50 g de fromage de chèvre
1 poignée de pignons
sel

• Mettez dans un mortier le basilic et l'ail, le sel et les pignons. Pilez bien en ajoutant très lentement le fromage. Incorporez l'huile sans cesser de mélanger.
• Faites cuire les spaghettis, égouttez-les et servez avec cette sauce.

Spaghettis au jus de citron

Calories : 426 • Cholestérol : 0 mg

INGRÉDIENTS

400 g de spaghettis
4 cuillerées d'huile d'olive
le jus de citron
poivre

• Faites cuire les spaghettis dans de l'eau salée bouillante.
• Égouttez-les et servez-les avec une sauce préparée en mélangeant l'huile, le jus de citron et le poivre.

Spaghettis aux olives

Calories : 439 • Cholestérol : 0 mg

INGRÉDIENTS

400 g de spaghettis
500 g de tomates mûres
2 cuillerées d'huile d'olive
1 petit bouquet de basilic
50 g d'olives noires
sel et poivre

• Dans une poêle large et profonde, mettez l'huile, les tomates pelées, épépinées et coupées en petits morceaux, le basilic, le sel et le poivre.
• Laissez cuire tout ceci pendant environ 15 minutes.
• Ôtez la moitié de cette préparation et mettez-la dans un plat creux.
• Ajoutez les spaghettis que vous aurez « cassés » à la sauce restée dans la poêle. Couvrez-les avec la sauce que vous avez mise dans le plat. Ajoutez deux grosses louches d'eau chaude. Couvrez et laissez cuire doucement pendant environ un quart d'heure, en remuant souvent.
• Lorsque la cuisson est terminée, versez dans un plat chaud et décorez avec les olives.

Anchois au jus de citron

Calories : 223 • Cholestérol : 105 mg

INGRÉDIENTS

1 kg d'anchois
4 citrons ou plus
persil
4 cuillerées d'huile
sel

• Videz les anchois, ôtez la tête et l'arête centrale. Lavez-les et égouttez-les. Disposez-les ouverts, les uns à côté des autres sur un grand plat de service.
• Arrosez-les de jus de citron et laissez macérer pendant une douzaine d'heures.
• Égouttez et salez légèrement les anchois. Ajoutez-leur l'huile et le persil haché.

Croquettes cuites à la vapeur

Calories : 211 • Cholestérol : 74 mg

INGRÉDIENTS

400 g de viande de veau
2 cuillerées de fromage râpé
2 cuillerées de chapelure
1 cuillerée de persil haché
2 feuilles de sauge
1 feuille de laurier
4 cuillerées d'huile
sel et poivre

• Mélangez à la viande hachée le fromage râpé, le persil, la chapelure et le sel. Formez 4 croquettes que vous aplatissez.
• Disposez-les dans un plat avec l'huile et les aromates.
• Couvrez et faites-les cuire au bain-marie. Laissez bouillir 10 minutes, retournez les croquettes et continuez la cuisson encore 10 minutes. Servez dans le plat de cuisson.

Daurade au four

Calories : 300 • Cholestérol : 105 mg

INGRÉDIENTS

1 daurade d'environ 1 kg (ou 2 ou 3 petites)
4 grosses tomates mûres
1 verre de vin blanc
sauge
romarin
laurier
thym
ail
4 cuillerées d'huile
le jus de 1 citron
sel et poivre

• Nettoyez le poisson, farcissez-le avec les aromates et l'ail, placez-le dans un plat allant au four.
• Salez et poivrez puis couvrez-le avec les tomates pelées, épépinées et concassées.

• Arrosez d'huile d'olive et laissez cuire à four moyen pendant environ 40 ou 50 minutes. Au cours de la cuisson, remuez délicatement et arrosez avec le vin blanc pour éviter que le poisson n'attache au fond.
• Dès qu'il est cuit, pressez le jus du citron sur la daurade cuite et servez dans le plat de cuisson.

Escalopes au vert

Calories : 291 • Cholestérol : 123 mg

INGRÉDIENTS

600 g de blanc de dinde
1/2 verre de vin blanc
le jus de 1 citron
persil haché avec de l'ail
4 cuillerées d'huile
sel et poivre

• Faites dorer les blancs, que vous aurez au préalable farinés, dans l'huile. Salez, poivrez et ajoutez le vin blanc. Laissez cuire 15 minutes.
• Parsemez alors du hachis de persil et d'ail, auquel vous aurez ajouté le jus de citron. Servez au bout de quelques instants.

Filets de bœuf au poivre vert

Calories : 283 • Cholestérol : 102 mg

INGRÉDIENTS

4 tranches de filet de bœuf
1 citron
4 cuillerées d'huile
2 cuillerées de poivre vert
sel

• Ajoutez le poivre moulu au jus du citron. Retournez les tranches de filet dans la sauce afin que le poivre adhère bien.
• Arrosez avec l'huile et saisissez sur la plaque brûlante. Salez et servez immédiatement.

Filets de dinde au poivron

Calories : 276 • Cholestérol : 123 mg

INGRÉDIENTS

600 g de filets de dinde
2 carottes
2 poivrons
1/2 verre de vin blanc
2 cuillerées d'huile
sauge
set et poivre

• Dans un plat allant au four, mettez l'huile et la sauge. Faites dorer les filets de dinde. Arrosez avec le vin, puis ajoutez les carottes et les poivrons coupés en petits morceaux, salez et poivrez. Faites cuire à feu doux.
• Passez les légumes au tamis. Servez les filets avec la sauce au poivron.

Lapin à la sauce piquante

Calories : 270 • Cholestérol : 97 mg

INGRÉDIENTS

1 lapin tout prêt d'environ 500 g
1 verre de vin blanc
romarin
sauge
laurier
thym
1 anchois salé débarrassé de ses arêtes
quelques câpres
4 cuillerées d'huile d'olive
sel et poivre

• Dans une casserole mettez l'huile, le vin blanc, un verre d'eau et les morceaux de lapin.
• Ajoutez les aromates, salez et poivrez selon votre goût.
• À mi-cuisson, ajoutez l'anchois salé, mélangé dans un peu de sauce à laquelle vous aurez ajouté les câpres. Servez avec la sauce.

Lapin parfumé au thym

Calories : 264 • Cholestérol : 97 mg

INGRÉDIENTS

1 lapin tout préparé d'environ 500 g
4 cuillerées d'huile d'olive
1 verre de vin blanc
quelques petites branches de thym
sel et poivre

• Mettez les morceaux de lapin dans un plat huilé allant au four. Faites-les dorer, ajoutez la moitié du vin blanc, le thym, salez et poivrez.
• Mettez dans le four préchauffé, et faites cuire en arrosant de temps en temps avec le reste de vin blanc.

Mulet grillé

Calories : 280 • Cholestérol : 105 mg

INGRÉDIENTS

1 mulet d'environ 1 kg
4 cuillerées d'huile
romarin
citron
sel

• Écaillez et videz le poisson. Après l'avoir bien lavé sous l'eau courante, disposez-le sur un plat creux dans lequel vous aurez mis l'huile, le romarin et le sel.
• Laissez mariner pendant au moins 1 heure.
• Pendant ce temps, faites chauffer la plaque. Posez-y le poisson et, après 10 minutes de cuisson, tournez-le et faites-le cuire autant de l'autre côté. Servez chaud avec du jus de citron.

Poulet à la bière

Calories : 162 • Cholestérol : 100 mg

INGRÉDIENTS

1 poulet
0,5 l de bière brune
sauge et romarin
sel et poivre

• Coupez le poulet en morceaux après l'avoir nettoyé et flambé. Mettez-le dans une cocotte avec le sel, le poivre, la sauge, le romarin. Arrosez avec la bière brune. Le liquide doit couvrir la viande. Mettez sur le feu.
• Au moment de l'ébullition, baissez le feu, couvrez et laissez cuire. Puis augmentez le thermostat et laissez réduire en ôtant le couvercle. Servez.

Poulet au citron

Calories : 207 • Cholestérol : 100 mg

INGRÉDIENTS

1 poulet
2 citrons
2 cuillerées d'huile
sel et poivre

• Nettoyez et faites flamber un poulet, salez et poivrez à l'intérieur et à l'extérieur. Puis farcissez-le avec un citron coupé en tranches très fines.
• Dans un plat allant au four, faites rissoler le poulet avec l'huile et la pulpe d'un citron coupé en petits cubes. Puis laissez cuire doucement pendant au moins 1 heure. Servez sur un lit de cresson et présentez le jus dans une saucière.

Poulet en papillotte

Calories : 185 • Cholestérol : 100 mg

INGRÉDIENTS

1 poulet
un peu de persil haché
1 cuillerée d'huile
sel et poivre

• Nettoyez et flambez le poulet. Farcissez-le ensuite avec le persil haché, salez, poivrez aussi bien à l'intérieur qu'à l'extérieur. Huilez une feuille d'aluminium et enveloppez le poulet.
• Faites cuire à four chaud pendant au moins 1 heure.

Rosbif au sel

Calories : 193 • Cholestérol : 102 mg

INGRÉDIENTS

600 g de rosbif
500 g de sel fin

• Ficelez la viande afin qu'elle ne se déforme pas pendant la cuisson, et roulez-la dans le sel fin en appuyant avec les mains pour le faire adhérer.
• Mettez la viande dans un plat sans matières grasses et enfournez-la à four très chaud.
• Laissez cuire pendant environ 25 minutes toujours à four chaud (retournez la viande au bout de 15 minutes de cuisson). Servez.

Roussette grillée

Calories : 210 • Cholestérol : 105 mg

INGRÉDIENTS

4 roussettes
4 cuillerées d'huile
1 bouquet de persil
quelques feuilles de basilic
un peu de marjolaine
1 oignon
2 gousses d'ail
3 clous de girofle
1 citron
sel et poivre

• Dans un plat allant au four, mettez les tranches de poisson, avec l'huile, le jus de citron, les aromates, les fines herbes hachées, les clous de girofle, le sel et le poivre. Laissez les saveurs imprégner les tranches de poisson.

• Pendant ce temps, chauffez la plaque. Après avoir laissé le poisson mariner pendant environ 1 heure, faites-le cuire sur la plaque en l'arrosant de temps en temps avec la marinade.

Salade capriote

Calories : 205 • Cholestérol : 58 mg

INGRÉDIENTS

4 tomates
2 mozzarellas
(de 120 g chacune environ)
1 poignée d'origan
2 cuillerées d'huile
sel et poivre

• Coupez en tranches les tomates, épépinez-les et égouttez-les. Taillez des tranches de mozzarella et disposez-les sur un plat de service en faisant alterner une tranche de tomate et une tranche de mozzarella.
• Faites une sauce avec l'huile, le sel et le poivre, parsemez d'origan et servez frais.

Soles à la sauce citron

Calories : 190 • Cholestérol : 68 mg

INGRÉDIENTS

4 soles nettoyées
2 citrons
1 poignée de câpres
4 cuillerées d'huile
sel et poivre

• Faites cuire les soles pendant 5 minutes dans de l'eau bouillante salée à laquelle vous aurez ajouté le jus de citron.
• Égouttez-les et disposez-les sur un plat. Arrosez-les avec une sauce préparée avec l'huile, le sel, le poivre, les câpres hachées, le jus d'un citron, le tout bien mélangé.
• Laissez reposer 2 heures dans le réfrigérateur. Servez.

Thon aux petits pois

Calories : 275 • Cholestérol : 105 mg

INGRÉDIENTS

4 tranches de thon
400 g de petits pois
300 g de pulpe de tomate
1 poignée de persil
quelques gousses d'ail
un peu de farine
2 cuillerées d'huile
sel et poivre

• Salez et poivrez les tranches de poisson. Farinez-les légèrement, et faites-les dorer dans l'huile chaude.
• Ôtez le poisson et, dans la casserole ayant servi à le dorer, faites blondir l'ail et le persil hachés, ajoutez alors la pulpe de tomate concassée et, lorsque l'ébullition reprend, versez les petits pois. Couvrez-les d'eau chaude.
• Laissez cuire ainsi et quelques instants avant de retirer du feu, ajoutez les tranches de poisson et réchauffez à feu doux.

Truite saumonée à l'huile d'olive et au jus de citron

Calories : 192 • Cholestérol : 69 mg

INGRÉDIENTS

1 truite saumonée de 1 kg environ
1/2 oignon
1 feuille de laurier
vinaigre ou un peu de citron

Pour la sauce :
4 cuillerées d'huile
le jus de 1 citron
1 poignée de persil
sel et poivre

• Nettoyez la truite et faites-la bouillir dans de l'eau salée, avec un peu de vinaigre (ou du jus de citron). Ajoutez le laurier et l'oignon. Laissez reposer le poisson dans le liquide pendant quelques instants, puis égouttez-le et mettez-le sur un plat.

• Servez à part une sauce froide préparée avec l'huile, le jus de citron, le persil haché, le sel et le poivre. Mélangez bien le tout.

Truite saumonée en papillote

Calories : 174 • Cholestérol : 82 mg

INGRÉDIENTS

1 truite de 1 kg (ou 2 petites)
persil
basilic
câpres
ail
2 cuillerées d'huile
sel

• Nettoyez la truite et farcissez-la du hachis préparé avec le persil, le basilic, les câpres, l'ail, l'huile et le sel.

• Mettez la truite sur une feuille d'aluminium légèrement huilée. Fermez la papillote en faisant adhérer les deux extrémités.
• Mettez sur la plaque du four et laissez cuire à 120° pendant 25 minutes.

GARNITURES

Artichauts sautés à la poêle

Calories : 172 • Fibres : 11 g

INGRÉDIENTS

4 artichauts
2 pommes de terre
1 poignée de persil
1 gousse d'ail
2 cuillerées d'huile
sel
piment

• Nettoyez les artichauts, pelez les pommes de terre, et coupez le tout en petits morceaux.
• Mettez-les dans une cocotte avec l'huile, l'ail et le persil hachés. Ajoutez le piment, un demi verre d'eau et salez. Couvrez et laissez cuire doucement.

Carottes marinées

Calories : 83 • Fibres : 4 g

INGRÉDIENTS

600 g de carottes
1/2 verre de vinaigre
1/2 cuillerée de sucre
1 bouquet de persil
un peu d'ail
2 cuillerées d'huile
sel et poivre

• Épluchez et lavez les carottes. Coupez-les en rondelles, et faites-les bouillir dans de l'eau salée à laquelle vous aurez ajouté le vinaigre, l'huile, le sucre, le persil et l'ail hachés, le poivre.
• Égouttez les carottes, elles doivent être très légèrement croquantes, et couvrez-les avec le liquide de cuisson.
• Laissez-les mariner 2 heures.

Carottes nouvelles râpées

Calories : 67 • Fibres : 2 g

INGRÉDIENTS

400 g de carottes fraîches
2 citrons
2 cuillerées d'huile
sel et poivre

• Épluchez les carottes et après les avoir lavées, râpez-les sur un plat de service. Assaisonnez immédiatement avec une sauce que vous aurez préparée avec l'huile, le jus des citrons, le sel et, selon votre goût, du poivre.

Courgettes sautées à l'ail et au persil

Calories : 90 • Fibres : 4 g

INGRÉDIENTS

8 courgettes
1 poignée de persil et d'ail
2 cuillerées d'huile
sel et poivre

• Lavez les courgettes, coupez-les en rondelles et faites-les cuire dans de l'huile sur feu vif, en ajoutant éventuellement un peu d'eau chaude pour qu'elles n'attachent pas.
• À la fin de la cuisson, parsemez-les d'un hachis de persil et d'ail, salez, poivrez.

Fenouil parfumé

Calories : 77 • Fibres : 4 g

INGRÉDIENTS

4 fenouils
2 citrons
thym
laurier
persil
2 cuillerées d'huile
sel et poivre

• Nettoyez les fenouils et ébouillantez-les dans de l'eau salée. Coupez-les en petits dés.
• Dans une casserole, versez un demi litre d'eau, les fenouils et les aromates, le poivre, l'huile et le jus des citrons. Salez et laissez cuire doucement pour éviter d'obtenir une bouillie. Servez froid.

Haricots verts à la tomate

Calories : 91 • Fibres : 6 g

INGRÉDIENTS

600 g de haricots
4 tomates mûres
1/2 oignon
2 cuillerées d'huile
sel et poivre

• Faites chauffer dans une casserole l'huile et l'oignon coupé en tranches ; faites blondir puis ajoutez les tomates pelées, épépinées et coupées en petits dés.
• Salez et poivrez. Laissez cuire 15 minutes.
• Ajoutez alors les haricots que vous aurez au préalable fait cuire dans de l'eau salée. Assaisonnez selon votre goût et servez.

Légumes d'été mélangés

Calories : 80 • Fibres : 2 g

INGRÉDIENTS

50 g d'oignons
100 g de courgettes
100 g d'aubergines
100 g de poivrons
100 g de tomates
1 cuillerée de câpres
quelques olives dénoyautées
basilic haché
2 cuillerées d'huile
sel et poivre

• Lavez et coupez en julienne les légumes. Mettez-les dans une casserole, ajoutez l'huile, les câpres, le basilic, salez et poivrez. Faites cuire à feu doux.

Légumes verts au four

Calories : 115 • Fibres : 5 g

INGRÉDIENTS

2 poivrons jaunes
2 oignons
2 courgettes
1 aubergine
4 tomates oblongues
quelques feuilles de basilic
2 cuillerées d'huile
sel et poivre

• Lavez et épépinez les légumes. Coupez-les en julienne et mettez-les dans un plat allant au four en alternant les couches de légumes. Salez, poivrez. Ajoutez le basilic haché.
• Versez l'huile, couvrez. Enfournez pour 1 heure de cuisson.

Petits oignons à l'étouffée

Calories : 50 • Fibres : 3 g

INGRÉDIENTS

400 g de petits oignons
1/2 cuillerée de sucre
1/2 cuillerée de farine
sel

• Épluchez les oignons, et faites-les cuire pendant 15 minutes dans de l'eau bouillante salée.
• Égouttez-les et mettez-les dans une cocotte dans laquelle vous aurez délayé la farine et le sucre avec un verre d'eau.
• Faites cuire à feu très doux. Si nécessaire, ajoutez quelques cuillerées d'eau chaude. Le jus doit être épais.

Petits pois et laitue braisés

Calories : 125 • Fibres : 6 g

INGRÉDIENTS

400 g de petits pois frais ou surgelés
1/2 oignon
1 laitue
2 cuillerées d'huile
sel et poivre
1 pincée de quatre épices

• Mettez dans une casserole l'oignon coupé en tranches fines et faites-le blondir dans l'huile.
• Ajoutez alors les petits pois et la laitue coupée en chiffonnade, les épices, le sel et le poivre. Laissez cuire un quart d'heure.

Pommes de terre en papillotte

Calories : 225 • Fibres : 4 g

INGRÉDIENTS

8 pommes de terre
2 cuillerées d'huile
romarin
sel et poivre

• Prenez des pommes de terre à chair jaune, épluchez-les, lavez-les et essuyez-les bien. Coupez-les en deux dans le sens de la longueur.
• Mettez-les sur une feuille d'aluminium, poivrez-les, arrosez-les d'huile et parsemez de romarin.
• Fermez bien les bords des papillotes, puis mettez-les à four modéré pendant 45 minutes.
• Ôtez les pommes de terre de leur papillote et disposez-les sur un plat. Salez.

Purée de pommes de terre

Calories : 156 • Cholestérol : 1 mg • Fibres : 3 g

INGRÉDIENTS

600 g de pommes de terre
1/2 tasse de lait écrémé (environ 0,25 l)
sel et noix de muscade

• Pelez et lavez les pommes de terre. Coupez-les en tranches et mettez-les dans une cocotte avec un verre d'eau, le lait, le sel et un peu de noix de muscade.
• Laissez cuire à feu doux jusqu'à ce qu'elles soient réduites en purée et que le liquide ait été absorbé.
• Salez, mélangez bien avec une cuillère en bois.

Salade multicolore

Calories : 71 • Fibres : 2 g

INGRÉDIENTS

2 petites courgettes
2 carottes
2 oignons
1 cœur de céleri
1 cuillerée de persil haché
2 cuillerées de vinaigre aromatique
2 cuillerées d'huile
sel

• Coupez les légumes très finement et assaisonnez avec une sauce faite en mélangeant l'huile, le sel, le vinaigre et le persil haché finement. Vous pouvez d'ailleurs remplacer ce dernier par du basilic ou de la menthe.

DESSERTS

Coupe de fruits exotiques

Calories : env. 130 • Fibres : env. 3 g

INGRÉDIENTS

2 bananes
2 kiwis
2 mangues
1 papaye
2 tranches d'ananas
2 citrons
4 cuillerées de sucre

• Épluchez les bananes et coupez-les en rondelles. Préparez les autres fruits, coupez-les en petits dés, mélangez le tout.
• Ajoutez le sucre et le jus des citrons.

Gâteau léger

Calories : 130 • Cholestérol : 0 mg

INGRÉDIENTS

100 g de farine
150 g de sucre
8 blancs d'œufs
1 sachet de sucre vanillé (ou 1 zeste de citron)
1 sachet de levure
1 pincée de sel

• Montez les blancs en neige très ferme et incorporez la farine et la levure, puis le sucre vanillé.
• Beurrez un moule et enfournez à four moyen pour environ 50 minutes.

Meringues à la crème glacée

Calories : 221 • Cholestérol : 12 mg

INGRÉDIENTS

200 g de sucre
2 blancs d'œufs
100 g de crème glacée

• Montez les blancs en neige très ferme. Ajoutez le sucre en le passant au tamis. Beurrez et farinez légèrement la plaque du four. Mettez la meringue dans une poche et déposez des petits tas ovales sur la plaque.
• Mettez dans le four que vous laisserez à demi ouvert et faites prendre la meringue à 100° (elle ne doit pas dorer).
• Creusez avec le pouce la partie plate ; attention, c'est très fragile ! Remplissez de crème glacée et assemblez les meringues deux à deux.

Meringues aux parfums mélangés

Calories : 203 • Cholestérol : 0 mg

INGRÉDIENTS

200 g de sucre
2 blancs d'œufs
vanille ou café ou chocolat

• Montez en neige très ferme les blancs d'œufs. Ajoutez en pluie fine le sucre à l'aide d'un tamis. Parfumez avec l'arôme que vous avez choisi.
• Beurrez et farinez légèrement la plaque du four, mettez la meringue dans une poche et formez des petits tas ovales ou ronds. Mettez dans le four que vous laisserez à moitié ouvert ; la meringue doit s'assécher à 100° (ne la faites pas dorer).

Pommes cuites à l'orange

Calories : 193 • Fibres : 7 g

INGRÉDIENTS

4 pommes
4 oranges
4 cuillerées de miel

• Lavez les pommes et ôtez le trognon. Coupez-les horizontalement et mettez-les dans un plat avec un verre d'eau, mettez au four 30 minutes.
• Pressez le jus de deux oranges et coupez en morceaux les deux autres.
• Faites chauffer le jus d'orange avec le miel, enlevez du feu, ajoutez les petits cubes d'orange que vous avez préparés et garnissez de cette préparation les pommes cuites.

Pommes fourrées

Calories : 132 • Fibres : 4 g

INGRÉDIENTS

4 pommes
8 macarons
4 cuillerées de marsala
4 cuillerées de confiture

• Lavez les pommes et ôtez les trognons.
• Coupez-les horizontalement et farcissez-les d'une pâte à base de macarons concassés, de marsala et de confiture.
• Mettez les pommes dans une cocotte avec un verre d'eau et faites cuire.

Salade de fruits au yaourt

Calories : 115 • Cholestérol : 3 mg • Fibres : 3 g

INGRÉDIENTS

400 g de macédoine de fruits coupés en dés
200 g de yaourt aux fruits
4 cuillerées de miel
1 poignée de fraises des bois

• Ajoutez à la macédoine le yaourt que vous aurez mélangé au miel. (Gardez un peu de miel de côté.)
• Remplissez des coupes, arrosez-les de miel et décorez avec les fraises. Mettez au réfrigérateur 2 heures avant de servir.

RECETTES FACILES POUR DES REPAS RAPIDES

Pâtes d'été (plat unique)

Calories : 600 • Cholestérol : 35 mg

INGRÉDIENTS

400 g de pâtes
400 g de tomates mûres mais fermes
1 petit bouquet de basilic
320 g de tomme à 20 % de MG
2 cuillerées d'huile
sel et poivre noir

• Coupez en dés les tomates et la tomme, salez et poivrez, assaisonnez avec l'huile et le basilic haché. Disposez le tout dans un plat. Laissez mariner après avoir couvert.
• Pendant ce temps faites cuire les pâtes *al dente*. Ajoutez la marinade de tomates et servez.

Petites pizzas au romarin

Calories : 358 • Cholestérol : 0 mg

INGRÉDIENTS

400 g de pâte à pizza
4 cuillerées d'huile d'olive
romarin
gros sel

• Étendez bien la pâte et découpez quatre disques que vous huilerez sur les deux faces. Sur un seul côté, parsemez de grains de gros sel et d'un peu de romarin. Passez à four très chaud pendant environ 20 minutes.

Petits pains à l'augustine

Calories : 294 • Cholestérol : 54 mg

INGRÉDIENTS

4 petits pains
120 g de viande séchée
1 yaourt
quelques feuilles de roquette
jus de citron
4 petites cuillerées d'huile
sel et poivre

• Remplissez les petits pains avec la viande séchée, tartinez avec le yaourt auquel vous aurez ajouté l'huile, le jus de citron et les feuilles de salade en chiffonnade.

Petits pains ronds rigolos

Calories : 237 • Cholestérol : 21 mg

INGRÉDIENTS

4 petits pains ronds
4 tomates oblongues
8 filets d'anchois à l'huile
4 feuilles de basilic
4 cuillerées à café d'huile

• Coupez en petits morceaux les tomates épépinées et les anchois. Hachez le basilic. Mettez tout cela dans un plat, ajoutez l'huile.
• Coupez des chapeaux sur les petits pains, remplissez avec les tomates assaisonnées. Remettez les chapeaux et servez.

Pizza aux anchois

Calories : 370 • Cholestérol : 9 mg

INGRÉDIENTS

400 g de pâte à pizza
500 g d'anchois
200 g de pulpe de tomate
1 bouquet de persil
ail
1 cuillerée d'origan
4 cuillerées d'huile d'olive
sel et piment

• Étendez la pâte sur une plaque huilée, en forme de rectangle. Versez sur votre pâte un peu d'huile. Étendez-la bien.
• Ajoutez les tomates, assaisonnez avec le sel et le poivre. Mettez à four chaud pendant 25 minutes.
• Nettoyez les anchois, et hachez finement le persil et l'ail.
• À la fin de la cuisson, ôtez la plaque du four, alignez les anchois sur la pâte, parsemez de persil et d'ail hachés, parfumez avec l'origan, salez, poivrez et versez un filet d'huile d'olive.
• Réenfournez pour 10 autres minutes. Servez bien chaud.

Poivrons aux anchois

Calories : 114 • Cholestérol : 20 mg

INGRÉDIENTS

2 poivrons
4 tomates bien mûres
8 anchois à l'huile
2 cuillerées d'huile
sel et basilic

• Faites griller sur la flamme les poivrons. Pelez-les, ouvrez-les, épépinez-les et coupez-les en julienne.
• Enlevez les arêtes des anchois et levez des filets.
• Coupez les tomates en quartiers, et mettez une couche de chaque ingrédient sur un plat de service.
• Salez, ajoutez l'huile et le basilic haché.

Riz au vert

Calories : 350 • Cholestérol : 0 mg

INGRÉDIENTS

300 g de riz
1 petit bouquet de persil
1 cuillerée de câpres
2 citrons
4 cuillerées d'huile
sel et poivre

• Préparez une sauce en hachant le persil et les câpres, ajoutez l'huile, le jus des citrons, le sel et le poivre.
• Assaisonnez le riz, cuit au préalable dans beaucoup d'eau salée. Servez tiède.

Riz parfumé

Calories : 533 • Cholestérol : 3 mg

INGRÉDIENTS

400 g de riz
100 g d'olives noires
50 g de câpres
1 boîte de thon au naturel
1 poivron jaune
2 tomates oblongues mûres
1 petit oignon
2 anchois salés
quelques feuilles de basilic
2 cuillerées d'huile
sel
piment

• Coupez le poivron en lamelles. Pelez les tomates et coupez-les en petits morceaux. Lavez et enlevez les arêtes des anchois.

• Coupez en tranches le petit oignon, mettez-le dans une casserole, ajoutez les anchois, l'huile et laissez blondir. Ajoutez le poivron, les tomates, le basilic et le thon égoutté et émietté, les olives en petits morceaux et les câpres. Salez et laissez cuire à feu doux quelques instants.

• Pendant ce temps faites cuire le riz dans de l'eau salée, égouttez-le et mettez-le dans un plat. Servez-le avec la préparation.

Tomates farcies au thon

Calories : 163 • Cholestérol : 23 mg

INGRÉDIENTS

4 grosses tomates pas trop mûres
200 g de thon à l'huile
1 citron
quelques câpres
sel et poivre

• Mixez tous les ingrédients sauf les tomates et remplissez de ce mélange les tomates coupées en leur milieu et évidées. N'oubliez pas de faire s'égoutter les chapeaux des tomates après les avoir épépinées.

TABLE DES MATIÈRES

Achevé d'imprimer en avril 2011 en Italie,
sur les presses de Grafica Veneta
Dépôt légal : mai 2011
Numéro d'éditeur : 10748